Fantasía

Fantasía

⚜

Sandra Brown

Traducción de
Bruno Menéndez

Talismán

Título original inglés: *Fanta C*

Primera edición: abril de 2007

Peu de la Creu, 4 , 08001 Barcelona
correu@grup62.com
grup62.com

Fotocompuesto en Víctor Igual, S.L.
Impreso en Artes Gráficas Mármol, S.L.
Depósito legal: B. 476-2007
ISBN: 978-84-96787-05-6

Capítulo 1

La primera vez fue de encanto.

Hicimos el amor en el establo, entre el olor a heno, a caballos y a polvo. Se trataba de sexo caliente y lujurioso. Nuestros cuerpos brillaban de calor cuando habíamos terminado. Ahítos, yacíamos entrelazados. Yo tenía paja enredada en el pelo. Él intentó sacármela con cuidado, mientras yo me regodeaba observando el modo en que el sol se colaba entre las grietas de la pared, dibujando halos de luces y sombras sobre su pecho peludo.

Estaba claro desde un principio que tenía que ocurrir, pero había sido él quien había escogido el momento. Yo había vuelto al establo a lomos de uno de los codiciados purasangre de mi padre tras una de mis salidas diarias. Mi corazón se había puesto a latir con fuerza al ver al capataz de las caballerizas apoyado contra una esquina del establo. No había nadie más en el lugar.

Le miré con la altiva condescendencia que mi educación aristocrática me había inculcado generación tras generación. Él se había acercado sin ninguna prisa. Con una sonrisa arrogante, había alzado las manos y las había colocado en mi cintura para ayudarme a bajar del caballo. Deseosa de atacar su implacable seguridad en sí mismo y su altanería, había deslizado mi cuerpo sinuosamente contra el suyo hasta que mis botas tocaron el suelo. Entonces, pude ver cómo sus ojos se habían encendido, pero mi triunfo fue efímero.

Desafiando las convenciones y las mínimas normas de decoro, continuó apretándome contra él. Alcé la vista para mirarle llena de deseo. Un deseo que se acentuaba al tratarse de un empleado de mi padre, muy por debajo de mi estatus social. Cualquier tipo de relación íntima entre el capataz del establo y yo estaba terminantemente prohibida. Una tentación deliciosa.

Para rematar, era irlandés. Y yo inglesa. Era salvaje e indisciplinado y tenía un temperamento tan agitado como el Mar de Irlanda. Yo había sido educada en un clima de elegancia y refinamiento. Hablaba francés y latín. Él apenas sí tenía un rudimentario conocimiento del inglés y a menudo decía vulgaridades, cuyo significado yo ni siquiera alcanzaba a imaginar. Según contaban, una botella de whisky en sus manos no duraba más de una noche. A mí, en cambio, me permitían beber como máximo un vasito de jerez antes de la cena, y eso sólo en ocasiones especiales. Mis manos estaban inmaculadas. Las suyas no. Pero eso no importaba cuando las deslizaba alrededor de mi cintura para acercarme aún más hacia él.

Había agachado la cabeza y me había besado como si ese fuese su derecho en lugar ser una falta inadmisible en caso de ser descubierto. Llevaba un mechón de pelo largo y rizado que le caía por encima de la ceja a medida que inclinaba la cabeza y apretaba su boca contra la mía.

Aunque actuaba en respuesta al deseo que, sin duda, había visto reflejado en mis ojos, me dio rabia su audacia. Intenté forcejear contra la pechera de su chaleco de cuero. Pero se trataba de una batalla inútil, no sólo contra su fuerza superior, sino también contra mí misma y la pasional turbulencia de mi sangre. Reconozco que no puse mucho empeño en liberarme de sus brazos ni de su lengua cuando penetró mis labios y desfloró mi boca.

En aquel momento, me sentí desvanecer.

Sin aliento y debilitada, le seguí a trompicones mientras él me introducía en las más profundas tinieblas del establo de mi padre. Me lo había buscado yo solita. ¿O no? ¿No era esa la consecuencia lógica de todas aquellas miradas ardientes que nos habíamos estado intercambiando durante semanas? ¿Acaso no me había insinuado a través de caricias accidentales y de gestos provocadores para que él hiciera precisamente eso? ¿Acaso no me moría por saber si era cierto lo que las sirvientas susurraban a escondidas?

Además, aunque hubiera cambiado de opinión, él no lo habría permitido. Me empujó contra las tablas de uno de los compartimientos. El heno me llegaba por la rodilla. Olía dulce y fresco. Hacía calor en el interior del establo. Y había poca luz. El aire estaba tan cargado de motas de polvo que todo me daba vueltas. Con sus labios aún pegados a los míos, echó el cuerpo hacia delante para que pudiera sentir la evidencia de su dedeo detrás de mi traje de montar. Aquel cuerpo fuerte y ágil que yo había admirado desde detrás de las cortinas de mi habitación ahora se apretaba contra mí con una confianza espasmódica. Me temblaban los muslos, aunque los separé obediente, mientras él metía sus piernas entre ellos e hincaba sus caderas hacia arriba y hacia delante.

Acercó directamente las manos al lazo que yo llevaba atado al cuello. Me deshizo el nudo con un suave gesto y se dispuso a desenroscar el pañuelo de seda blanca, dejándolo caer sobre el heno al deshacerse el lazo completamente. Los botones de perlas de mi blusa no supusieron ningún obstáculo disuasorio para sus manos deseosas. Cedieron de sus agujeros zurcidos a mano sin mayor inconveniente.

Lancé un gemido al sentir sus trabajadas manos sobre mis pechos. Mi camisola de batista le impacientó. Me la empujó hacia abajo, liberando mis pechos, que acarició copiosamente con sus bastas manos.

Abrumada por las extrañas sensaciones que me invadían, cerré los ojos. Dejé caer la cabeza hacia atrás sobre las tablas del establo y me rendí totalmente, mientras él me cubría de besos ardientes a lo largo de mi estremecido cuerpo. Nunca me había llegado a imaginar que los labios de un hombre, así como sus dientes y su boca fueran capaces de proporcionar tan increíble placer. Era pecaminoso, ¿o no? ¿Acaso The Book of Common Prayer no describía estos sentimientos que me invadían como placeres carnales? Eran terriblemente perversos. Y aun así espléndidos. Mis pezones se endurecieron y apuntaron contra aquella lengua húmeda que se frotaba velozmente contra ellos. Arqueé mi espalda y los empujé para que entraran aún más adentro de su boca.

—Shh, shh, mi amor —susurró él con aquel acento cantarín que tanto me gustaba—. Tenemos que tener cuidado. —Sus manos no tenían el menor decoro. No obedecían a ninguna norma. Las metió debajo de la falda de mi traje de montar de terciopelo rubí, enredándose en las distintas capas de mis enaguas de encaje y se abrieron paso entre mi ropa hasta tocar mi piel desnuda. Mis oídos se llenaron de palabras de amor toscamente susurradas al oído, enriquecidas con su exuberancia decididamente irlandesa, mientras él me acariciaba íntimamente con una ternura en conflicto con su creciente impaciencia.

Se desabrochó los pantalones y, entonces, pude verle. El estado de su erección me dio miedo. Él detectó mis miedos y los aplacó con palabras reconfortantes que me tranquilizaron. Su miembro viril estaba caliente, suave y duro, mientras me penetraba, abrazándome, rellenándome. Nuestros gemidos se mezclaron con las sombras del establo. El exquisito placer de nuestros cuerpos entrelazados me hizo perder la cabeza. Le surqué el pelo con mis dedos. Él me besó los pechos con fervor. Con cada penetración, se metía más profundamente en mi interior. Y aún más adentro. Hasta que…

—¡Elisabeth!

Elisabeth Burke se despertó bruscamente de su fantasía a causa de la voz exasperada de su hermana. Sus ojos, que habían recibido el cursi apelativo de azul porcelana, focalizaron a la mujer que estaba de pie en el umbral de su tienda de regalos. Su hermana fruncía el ceño con tanto cariño y tolerancia como desaprobación. Lilah, dos años más joven que Elizabeth, sacudió la cabeza y dio un chasquido con la lengua.

—Ya veo que vuelves a las andadas.

—¿A qué te refieres?

—No te hagas la tonta conmigo, Elizabeth. —Lilah señaló a su hermana con el dedo índice—. Estabas soñando despierta. A millones de leguas de distancia.

—No es verdad. Estaba, uhhh, pensando en el pedido que estoy preparando. —Elizabeth se dispuso a cambiar de sitio unos montones de papeles en el escaparate para dar cierta credibilidad a su mentira. Estaba tan sonrojada de vergüenza porque la hubieran pillado en plena fantasía sexual como lo estaba por la fantasía misma. Como ya se temía, su perspicaz hermana no se tragó su mentira.

—Te has puesto de todos los colores. Si estaba tan bien, podrías al menos compartirlo conmigo. —Lilah se dejó caer sobre uno de los bancos tapizados de terciopelo que Elizabeth había instalado para que sus clientes hicieran uso de ellos mientras miraban la mercancía de la tienda. El banco tenía el respaldo de hierro forjado con encajes blancos. Lilah puso las manos sobre el respaldo y alzó la vista para mirar a su hermana—. Desembucha. Soy toda oídos.

—Tonterías. No estaba fantaseando con nada en especial, excepto con el sonido de la máquina registradora. ¿Qué te parecen estos frascos de perfume? Los fabrican en Alemania. —Empujó el catálogo por encima del mostrador.

Lilah echó un vistazo a las fotografías con curiosidad.

—Muy buenos.

—Buenos y caros. ¿Crees que un artículo de gama alta como ese se vendería aquí?

—Depende de cuánto haya sido infiel el comprador.

Lilah tenía una actitud negativa con respecto al matrimonio, incluso teniendo en cuenta su edad y los tiempos que corrían. Elizabeth no estaba de acuerdo con ella.

—No todos los hombres que compran aquí un regalo para su esposa, lo hacen para quitarse una carga de conciencia.

—Por supuesto que no. Algunos de ellos los compran para sus amantes —dijo Lilah con chispa—. Sólo tienes que mirarlos.

Señaló con la mano la vidriera del escaparate a través de la cual se veía el elegante vestíbulo del Hotel Cavanaugh. Estaba a rebosar de gente, en su mayoría hombres, que esperaban para registrarse en el hotel o para irse. Salvo honrosas excepciones, se trataba de hombres de negocios que estaban vestidos de manera uniforme en diversas tonalidades de lana oscura. La mayoría llevaba maletín de cuero y gabardina. Todos parecían estar agobiados por su ritmo de trabajo y tenían una expresión ansiosa.

—Corren a casa de sus mujercitas después de una semana de trabajo fuera —dijo Lilah con desdén. Era feminista. En opinión de su hermana mayor, Lilah llevaba demasiado lejos la batalla por la igualdad de sexos—. Estoy convencida de que al menos la mitad de ellos han tenido algún *affaire* mientras estaban fuera de casa. ¿No te alegras de que su sentimiento de culpa beneficie tu negocio?

—Vaya tonterías dices. Sólo porque tú hayas decidido no casarte, no quiere decir que no pueda haber matrimonios felices.

—Quizá uno entre un millón.

—Pues yo creo que mis clientes entran aquí para comprar regalos para sus mujeres porque las han echado de menos y que están encantados de volver a verlas.

—También crees en los cuentos de hadas. Deja de pensar en las musarañas. —Con sorna, Lilah alzó la mano y le acarició un mechón de pelo rubio claro—. Bienvenida al mundo real.

—Pues no me lo estás pintando muy placentero este mundo real tuyo. —De un manotazo, Elizabeth apartó la mano de Lilah y se dispuso a frotar una mancha de la vitrina.

—Eso es porque no lo miro con filtros de color de rosa.

—¿Qué hay de malo en que exista un poco de romance?

—Nada. Es sólo que estoy harta del amor, del matrimonio y de todas esas historias. Pero nunca he tenido nada en contra del sexo.

Elizabeth reculó.

—Ni yo tampoco. Y baja la voz. Como te oigan...

—¿Y qué pasa si me oyen? Eres la única que no se atreve a hablar de sexo hoy por hoy. ¿No estarás volviéndote demasiado ñoña? —Su hermana decidió ignorar la mirada agria de Elizabeth—. Sexo, sexo, sexo. Ahí lo tienes, ¿ves? No me ha partido ningún rayo, ni me ha comido una ballena por decirlo. Tampoco me he convertido en una estatua de sal. Aún sigo aquí.

—Pues, ojalá te hubieses ido —refunfuñó Elizabeth. Ya sabía lo que estaba por venir. Independientemente de cómo empezasen sus conversaciones, siempre terminaban con una discusión sobre su vida amorosa… que, más bien, brillaba por su ausencia.

Ambas tenían personalidades diferentes y distinta filosofía de la vida. Se guardaban un parecido sorprendente. Las dos eran rubias, pero el cabello de Elizabeth era más fino y liso que el de su hermana. Sus facciones estaban definidas con delicadeza. Las de Lilah eran mucho más voluptuosas. Ambas tenían los ojos azules, pero los de Elizabeth eran tan serenos como un estanque en plena pradera, mientras que los de Lilah estaban tan agitados como el Atlántico Norte.

Elizabeth se habría sentido cómoda con el ropero de una señorita victoriana. Lilah, en cambio, se decantaba por las modas más vanguardistas. Elizabeth era cauta y reflexiva. Sopesaba con cuidado las consecuencias de sus actos antes de pisar sobre terreno desconocido. Lilah siempre había sido la impetuosa, agresiva. Por eso, se sentía libre para ser tan crítica sobre la vida personal de su hermana.

—Ya que estás trabajando en un negocio tan sugerente, no sé por qué no te apuntas al juego.

Elizabeth hizo como si no la hubiese entendido.

—¿No tienes consulta esta tarde? —Lilah era fisioterapeuta.

—No hasta las cuatro y media, y deja de cambiar de tema. Cuando uno de estos hombres te entre por el ojo —dijo ella, señalando con la mano las vidrieras de las puertas gemelas a cada lado de la entrada de la tienda—, quédatelo. ¿Qué tienes que perder?

—Para empezar, mi amor propio —dijo Elizabeth crispada—. No soy como tú, Lilah. Para mí el sexo no es ningún juego, como tú lo llamas. Es amor. Tiene que ver con un compromiso. —Lilah cerró los ojos como diciendo: «Aquí llega el sermón». «Nunca has estado enamorada, así que ¿cómo ibas a poder estarlo ahora?».

Lilah se puso seria.

—Vale, mira. Ya sé que estabas enamorada de John. Era un cuento de hadas de principio a fin. Un amor de universidad. Un refresco con dos pajitas. Tu amor con él era tan malditamente dulzón que empalagaba. Pero ahora está muerto, Lizzie.

Cuando llamaba a su hermana por su nombre de pila quería decir que estaban llegando al *quid* de la cuestión. Lilah extendió su mano por encima del mostrador y cogió a Elizabeth de la mano, apretándola contra la suya.

—Ya lleva dos años muerto. Tú no tienes madera de monja. ¿Para qué vivir como una monja?

—No es verdad. Tengo esta tienda. Y sabes cuánto tiempo me lleva. No es como si estuviera metida en casa haciendo ganchillo y sintiéndome desdichada. Salgo todos los días a ganarme el pan para los niños y para mí. Me involucro en sus actividades.

—¿Y qué pasa con tus actividades? ¿Qué pasa cuando ya no estás trabajando y los niños están en la cama? ¿Qué hace la viuda Burke para sí misma?

—La viuda Burke está demasiado cansada a esas alturas para hacer cualquier otra cosa que no sea irse a la cama.

—Sola. —Elizabeth lanzó un largo suspiro que indicaba lo cansada que estaba de este sonsonete perpetuo. Lilah no le hizo ningún caso—. ¿Cuánto tiempo más vas a continuar fantaseando?

—Yo no fantaseo.

Lilah se echó a reír.

—Sí, ya lo sé. Eres una romántica sin remedio. Desde

que tengo uso de razón, te recuerdo poniéndome paños de cocina en la cabeza y haciéndome tu dama de honor, la dama de honor de la princesa, que esperaba a su príncipe azul.

—Y cuando finalmente llegó, lo tiraste en una mazmorra con un dragón que escupía fuego —dijo Elizabeth, riéndose a raíz de aquel recuerdo de infancia— y le hiciste luchar para que demostrase su valor.

—Sí, pero cuando el dragón empezaba a ser demasiado para el príncipe, eché a correr para rescatarle.

—Esa es la diferencia entre nosotras dos. Yo estaba segura de que el príncipe azul habría sorteado al dragón sin problemas.

—¿Vas a quedarte a esperar a otro príncipe, Lizzie? Me sabe mal ser yo la que te dé las malas noticias, pero los príncipes azules no existen.

—Ya sé que no —dijo Elizabeth melancólica.

—Pues confórmate con algo menos. Un chico normal y corriente que se ponga los pantalones primero por una pierna y después por la otra. Y que se los quite del mismo modo —añadió Lilah con una sonrisa traviesa.

Elizabeth volvió a sumirse en su mundo de fantasía. El hombre del establo no se había quitado los pantalones en absoluto. Había sido demasiado impaciente. Su impaciencia le hacía más excitante. El corazón de Elizabeth se echó a palpitar, haciendo que volviera en sí. Esas fantasías eróticas a plena luz del día tenían que terminarse. Era ridículo. Le echó la culpa de su ensimismamiento con el sexo a su hermana. Si Lilah no hablara de ello todo el tiempo, entonces quizá no tendría tan presentes sus propias carencias.

—Bueno, pero también los hombres normales y corrientes son difíciles de encontrar —dijo ella—. Y no voy a abordar al primero que pase por delante de la puerta.

—Vale. Entonces, vamos a centrarnos en uno que esté más cerca de casa. —Lilah frunció el ceño—. ¿Qué me dices de tu vecino?

Elizabeth cogió un limpiacristales y un trapo.

—¿Qué vecino?

—¿Cuántos hombres solteros viven en la casa justo detrás de la tuya, Elizabeth? —preguntó Lilah con aspereza—. Ese tío cachas de pelo canoso y espalda ancha.

Elizabeth restregó con más fuerza la mancha de la vitrina.

—¿El señor Randolph?

Lilah hizo gala de su risa más perversa.

—¿El señor Randolph? —dijo con un sonsonete cantarín—. No te hagas la inocente conmigo. Te habías fijado en él, ¿verdad?

Elizabeth colocó el bote de limpiacristales y el trapo detrás del mostrador e, irritada, se despejó de la cara un mechón de pelo rebelde.

—Es el único hombre soltero de mi vecindario.

—¿Pues por qué no le invitas a cenar una noche?

—¿Y tú por qué no metes tu nariz en tus propios asuntos?

—O ponte a lo mejor algo completamente sexy la próxima vez que cortes el césped. O ponte a tomar el sol en *topless*.

—Lilah, de verdad. Además, ya se ha terminado el verano. Hace demasiado frío para tomar el sol.

Lilah le guiñó un ojo con aire disoluto.

—Mejor, así se te pondrán los pezones duros.

—No voy a escucharte más.

—Pues si eso te parece demasiado, entonces haz algo más convencional. Pídele que te repare el tostador.

—No está roto.

—¡Pues rómpelo! —Lilah se levantó del banco y miró a

su hermana a la cara, visiblemente molesta—. Aprovecha cualquier momento en que te esté viendo e intenta hacer ver que estás indefensa y consternada.

—Eso tú no lo harías ni loca.

—Pues claro que no lo haría. Sin embargo, como ya hemos dicho, yo no soy tú. Yo nunca he sido la señorita en apuros de esas fantasías que se te vienen a la cabeza.

Elizabeth apeló a su fuerza de voluntad y sacó a relucir su carácter.

—Qué raro que seas tú precisamente la que se ría de mis fantasías. ¿No eres tú la que me dio la idea de llamar a la tienda Fantasía?

—Yo no me río de tus fantasías. Son tan parte de ti misma, como los pasos que das. ¿Crees que te habría regalado esa matrícula para el coche si no me pareciera que iba de acuerdo con tu carácter?

La matrícula que Lilah le había regalado las Navidades pasadas llevaba escrito FANTASÍA. Ella se había quedado horrorizada con el regalo, pero Lilah la había registrado en las autoridades pertinentes. Como no quería afrontar todos los trámites burocráticos y todo el follón que suponía cambiarla, no le quedaba otro remedio que quedársela al menos por un año.

—Me da vergüenza ir por ahí todo el rato con esa matrícula —le dijo Elizabeth a su hermana—. Cada vez que alguien pasa a mi lado, noto que se está preguntando qué demonios hay en el interior de mi mente calenturienta.

Lilah se echó a reír.

—Bien. ¿Pues por qué no bajas la ventanilla y se lo dices? O mejor aún, ¿por qué no se lo escenificas?

La risa de Lilah era contagiosa. Al momento siguiente, Elizabeth se estaba riendo con ella.

—Eres incorregible.

—Sí que lo soy —admitió Lilah sin un ápice de remordimiento.

—Y ya sé que te preocupas al máximo y me buscas novio.

—Así es. Vas a tener treinta años pronto. No quiero que despiertes un día dentro de diez años y que sigas sola. Tus hijos ni siquiera estarán contigo para entonces. Podrías echarte un novio, en lugar de quedarte cruzada de brazos esperando a que llegue. Tu príncipe azul no va a llamar a tu puerta, Lizzie. No va a salir de tus fantasías y llevarte en sus brazos. Quizá tengas que ser tú la que tome la iniciativa.

Elizabeth miró hacia otro lado, consciente de que su hermana tenía toda la razón. Al hacerlo, vio el periódico que aún no había tenido tiempo de leer aquella mañana.

—Quizá le eche los trastos a este. —Señaló la fotografía del hombre de la portada.

—Adam Cavanaugh —leyó Lilah—. Será el propietario de la cadena, me imagino.

—Sí. Va a estar en la cuidad esta semana realizando una inspección. Se lo han notificado a la directiva del hotel y a todos los arrendatarios.

—Es muy guapo —comentó Lilah con toda naturalidad—. Pero, afróntalo, es súper rico, súper guapo y seguramente súper gilipollas. Es un *playboy* internacional. Sigue siendo un personaje de fantasía, Lizzie. Yo en tu lugar me buscaría un amante más accesible.

Elizabeth le puso cara rara.

—Antes de que me espantes a todos mis clientes con tu lenguaje soez, ¿me harías el favor de salir de aquí?

—Ya me iba de todos modos —dijo Lilah en voz baja—. Si no lo hago, llegaré tarde a mi cita de las cuatro y media. ¡Iuju! —Agitó los dedos en el aire mientras se abría paso entre dos hombres a la puerta de Fantasía. Ellos se hicieron a un lado para dejarla pasar. Lilah les guiñó el ojo a los dos. Ellos se detuvieron para observar su silueta desaparecer antes de entrar en la tienda.

Uno de ellos le pidió a Elizabeth que le envolviera en papel de regalo un pequeño brazalete, según sus propias palabras, para «mi mujer». Elizabeth se preguntó si sería cierto. Después, se reprendió a sí misma por permitir que Lilah la hubiese vuelto tan suspicaz.

El segundo hombre prefirió tomarse su tiempo antes de decantarse por una bolsa de chocolate envuelta en celofán rosa y atada con una cenefa rosa y una orquídea de seda. Mientras marcaba la venta en la caja registradora, Elizabeth le echó un ojo. Bonita cara. Bonitas manos. Pero extraño peinado. Las mangas de su chaqueta le quedaban demasiado grandes. El tiro de sus pantalones era bajo.

«Dios mío», pensó mientras el hombre salía de la tienda con su compra. ¿Estaba empezando a hacerle caso a Lilah? «Que Dios me libre de empezar a escuchar los consejos de mi hermana», pensó.

En una noche en la que deseaba sobre todo paz y tranquilidad, debería haber sabido que era demasiado pedir. Cuando llegó a casa se encontró con el caos total.

Su hija de ocho años, Megan, y su hijo de seis, Matt, estaban en el jardín de atrás con su niñera, la señora Alder. Los tres estaban histéricos. Elizabeth apagó el motor del coche, abrió la puerta y salió corriendo, segura de que la casa debía de estar en llamas como mínimo.

—¿Qué hay? ¿Qué ocurre? ¿Hay alguien herido?

—Es Baby —gritó Megan—. Está en el árbol.

—La llamamos una y otra vez, pero no puede bajarse.

—Se ha quedado allí arriba y ahora se está haciendo de noche.

—Bájala, mamá, por favor.

—Yo no he podido, señora Burke, si no la habría bajado —dijo desalentada la señora Alder por encima de las voces de los niños.

Como se había temido lo peor, Elizabeth se sintió aliviada al comprobar que, al final, todo aquel tumulto se había armado en torno a la nueva gatita. La gata se había quedado atrapada en el sicómoro. De acuerdo. Pero no había nadie asfixiándose, ni sangrando, ni había ningún hueso roto, ni tampoco había ocurrido ningún otro desastre como sus lloros y sus sollozos parecían vaticinar.

—De acuerdo. Todo el mundo tranquilo —gritó ella. Cuando el alboroto se redujo a una serie de desconsolados sollozos, dijo—: Estáis haciendo una montaña de un grano de arena.

—Pero, mamá, es sólo una gatita. Es pequeña.

—Y está asustada. Escúchala llorar. —El labio inferior de Matt empezó a temblar de nuevo.

—Vamos a bajar a Baby de allí y la pondremos a salvo antes de que anochezca —dijo Elizabeth—. Señora Alder, si pudiera...

—Me gustaría ayudarla, señora Burke, pero si no me voy ahora mismo voy a llegar tarde a mi trabajo de noche y tengo que pasar por casa antes.

—Oh —Elizabeth alzó la mirada para ver a la gata, que maullaba apesadumbrada—. Entonces, será mejor que se vaya, señora Alder. Ya le tomo yo el relevo.

—Seguro que la ayudaría si pudiese. Siento mucho dejarla, teniendo en cuenta...

—La entiendo, no se preocupe. La veré mañana.

La niñera se fue. Elizabeth la vio irse apesadumbrada. Una mano no le habría ido mal, aunque fuera la mano de una anciana.

La viudedad tiene sus detrimentos psicológicos y sociales, pero a veces no tener un hombre en casa era una enorme desventaja. En momentos como este, se enfadaba mucho con John por haber pasado a mejor vida y por dejarla sola con todas las responsabilidades que conlleva la familia.

Pero, como en situaciones similares, Elizabeth apretó la mandíbula y abordó el problema pragmáticamente. «Y qué remedio queda», pensó. Estaba claro que la gata no iba a bajarse del árbol volando como un canario.

Ella y los niños se quedaron detrás del árbol, analizando el problema.

—¿Cómo vas a subirte ahí, mamá?

—No creo que pueda —respondió Matt desalentado ante la inquietud de su hermana.

—Claro que puedo. —Elizabeth esbozó una falsa sonrisa para aparentar una seguridad que no tenía—. Lilah y yo solíamos trepar árboles todo el tiempo.

—Tía Lilah dijo que siempre habías sido una gallina.

—Bueno, pues no lo soy. Ni tampoco lo he sido nunca. Eso para que veáis lo sabihonda que es tía Lilah. —Elizabeth tenía un asunto que tratar con su hermana la próxima vez que la viera.

—Quizá deberíamos llamar a los *pomberos* —sugirió Matt.

—Se dice bomberos, estúpido —le corrigió Megan.

Por una vez, Elizabeth pasó por alto el insulto de Megan a su hermano y exclamó tajante:

—Matthew, tráeme la escalera del garaje. —No quería que sus hijos se pensaran que era una cobarde. El niño se apresuró a cumplir órdenes—. Mejor me cambio antes de…

—Oh, mamá. Por favor, no —dijo Megan, agarrando a su madre de las mangas del vestido, mientras se iba para la casa—. Nada más verte, Baby se ha calmado. Si entras en casa, a lo mejor empezará a llorar otra vez y no puedo soportarlo. De verdad, que no. —Los ojos de Megan se inundaron de lágrimas. Elizabeth no podía soportar verla así. Además, en ese mismo momento apareció Matt sin aliento cargando con la escalera.

—No es lo suficientemente grande, mamá.

—Pues, tendrá que servir. —Elizabeth se sacudió el polvo de las manos—. Bueno, vamos allá. —Puso la escalera debajo del árbol y se subió unos pocos metros por encima del suelo. Al ponerse de puntillas, pudo agarrarse a la rama más baja. Se colgó de ella, quedando suspendida en el aire por un momento, hasta que pudo trepar por el robusto tronco del árbol y poner un pie sobre la rama más baja.

Matt se puso a pegar saltos de alegría y a aplaudir.

—Por Dios, mamá, pareces Rambo.

—Gracias —dijo Elizabeth denodadamente. Llevaba las palmas de las manos en carne viva. Y lo peor de todo era que Lilah probablemente habría podido trepar por el árbol y ya estaría de vuelta abajo con la gatita en brazos. Pero así las cosas, la gatita seguía atrapada y a Elizabeth le quedaba aún un largo camino por recorrer.

—Puedo verte las enaguas —observó Megan.

—Lo siento, pero no puedo hacer nada para evitarlo.

—Elizabeth dio un resoplido mientras luchaba por subirse a la rama. Finalmente, lo consiguió y se detuvo para descansar. La gata había empezado a maullar de nuevo.

—Date prisa, mamá.

—Me estoy dando prisa —dijo irritada. Se abrió paso entre las ramas del árbol con cuidado de no mirar nunca hacia abajo. Le daban miedo las alturas.

Finalmente, alcanzó a la gatita. Mientras le decía suaves palabras, la cogió por el vientre y la sacó de la rama donde se encontraba atrapada. Conseguir bajarla del árbol era un desafío considerablemente mayor, teniendo en cuenta que sólo le quedaba una mano libre. Llegó hasta la mitad del camino sin ningún percance e hizo un llamamiento a los niños.

—Voy a tirarla desde aquí. Tendréis que cogerla, Megan. ¿Estáis listos?

—¿Estás segura?

—Sí. ¿Listos?

—Listos —dijo Megan dubitativa.

Mientras dejaba caer a la gata, Elizabeth se sintió como la persona más desalmada que jamás hubiera nacido e intentó ignorar la mirada de reprobación de sus hijos. Con las cuatro piernas extendidas, la gata aterrizó sobre el suelo a los pies de Megan.

La niña se acercó a ella, pero estaba aterrorizada, tiesa. Atravesó corriendo el jardín a través del seto y fue a parar directamente a los pies de Thad Randolph. Entre gritos, los niños echaron a correr detrás de Baby, sin escuchar las súplicas angustiadas de su madre para que se quedasen donde estaban.

Ella apoyó su mandíbula contra el tronco del árbol y se resignó a aceptar el devenir de aquella historia hasta el final. Se quedó escuchando cómo sus hijos le explicaban lo ocurrido al soltero que vivía en la casa de detrás de la suya. Sus voces infantiles repicaban sobre la tranquilidad de la tarde.

Periódicamente, Elizabeth podía oír al señor Randolph hacer comentarios del tipo: «No me digas», «Seguro que Baby tuvo que pasar un miedo terrible», «No, claro que no fue culpa tuya, Matt. A los gatos, les gusta trepar por los árboles».

—Y ahora es mamá la que está atrapada allí arriba.

Elizabeth refunfuñó y cerró los ojos con todas sus fuerzas. Cruzó los dedos para que él se hartara de la historia de los niños después de un rato. Se lo imaginaba acariciándoles la cabeza en actitud desdeñosa y metiendo en su casa las bolsas de la compra que sujetaba cuando la gata se había agazapado entre sus pies.

Sin embargo, cuando Elizabeth abrió los ojos, vio a través de las ramas del sicómoro que las bolsas de la compra estaban encima del maletero de su jeep Cherokee y que tenía a la gata cogida entre sus enormes manos. Baby estaba acurrucada en forma de bola, visiblemente encantada con sus cuidados.

—¿Y tu madre bajó a la gata del árbol?

—Uh-huh. Pero ella todavía está allí subida. ¡Mamaaá! —gritó Matt desde el otro lado del jardín.

—No creo que pueda bajarse.

Elizabeth siempre había estado orgullosa de la gran intuición de Megan, que le parecía muy desarrollada para su edad. Ahora la quería estrangular por ello.

—Estoy… estoy bien —dijo Elizabeth. Colocó apresuradamente su pie descalzo sobre la siguiente rama y bajó hasta ella. Lilah le había recomendado aparentar que estaba indefensa y consternada delante de su vecino el soltero, pero esto resultaba ridículo.

Vio a Thad Randolph pasarle a Megan la gata, que no dejaba de ronronear, aunque parecía distraído. Estaba mirando al árbol con los ojos achicados como si estuviera intentando vislumbrarla entre las ramas. Los tres juntos se acercaron caminando a través del jardín adyacente con Baby a salvo en los brazos de Megan.

—Sólo es una mamá —dijo Matt en tono despreciativo—. No creo que pueda trepar a los árboles bien.

—¿No decías que era igual que Rambo? —dijo Megan en defensa de su madre.

—Logró subirse, pero no creo que pueda volver a bajar. —Matt alzó la vista para mirar a Thad con aire solemne—. Ya sabes cómo son las mamás.

A estas alturas, el grupo había llegado a la base del árbol.

—¿Señora Burke?

—Hola, señor Randolph. ¿Qué tal?

Elizabeth podía notar que él estaba conteniendo un impulso de echarse a reír, aunque con dificultad.

—Bien, ¿y usted?

—Bien, gracias —dijo ella, apartándose un mechón de pelo de los ojos con toda naturalidad. A juzgar por la increíble serenidad que demostraba Elizabeth, tranquilamente podían haber estado hablando del seto que separaba sus propiedades.

—¿Necesita ayuda?

—Creo que podré arreglármelas sola, gracias. Lo siento si los niños le han metido en este lío.

—Estoy encantado de echar una mano. —Elizabeth le vio fruncir el ceño—. ¿Está segura que podrá sola?

Elizabeth miró al suelo. Se le antojaba un tanto espinoso.

—Casi segura.

Él parecía dubitativo. Por un momento, no dijo nada. Entonces, como si acabara de tomar una decisión, dijo:

—Cójase a esa rama con la mano derecha. No, a esa otra. Eso, así. Ahora mueva el pie izquierdo... sí, así.

La ayudó a bajarse, dándole instrucciones con una voz masculina que le hacía pensar en una tormenta lejana, pero amistosa. Ya casi lo había conseguido, cuando todos oyeron el ruido de un tejido rasgado.

—¡Oh! —Estaba en la rama más baja, a punto de poner el pie sobre la escalera cuando algo ocurrió.

—¿Qué ha sido eso? —preguntó Thad.

—Es... uh, creo que se me ha enganchado algo en una rama.

—¿El qué?

—Uno de esos volantes —le informó Matt, muy servicial—. Siempre lleva esas tonterías de encaje debajo de la ropa.

—¡Matthew! —A Elizabeth se le pusieron las mejillas al rojo vivo. Se esperaba que el vecino lo atribuyese a sus extenuantes intentos fallidos de desenganchar sus enaguas de la rama.

—Tenga. Mejor déjeme a mí. —Thad se subió a la escalera.

—Yo puedo hacerlo.

—No, mejor concéntrese en cogerse con las dos manos. Tengo miedo de que te caigas.

Elizabeth miró al suelo, que parecía separarse de ella por más que se acercara, e hizo lo que le decían mientras su vecino, aquel soltero de pelo canoso y espalda ancha, le cogía la falda de sarga marrón y metía sus manos entre las enaguas de lino y encajes, buscando el tejido que se había quedado enganchado. Parecía que no lo iba a encontrar nunca.

—Ahí está —dijo finalmente—. Lo he encontrado. —Tocó el tejido rasgado—. Sólo se ha roto un poco. Quizá pueda arreglarlo.

—Sí, quizá —dijo Elizabeth, retirando suavemente el dobladillo de encaje de sus enaguas de entre sus dedos—. Gracias.

De pie sobre la escalera, la cara de él estaba casi al mismo nivel que la suya. Elizabeth nunca lo había tenido tan cerca. Al menos, no tanto como para comprobar que sus ojos eran de ese azul tan intenso. No tanto como para notar que su pelo no era del todo gris, sino del color de la sal y de la pimienta, cuando abunda más la sal. No tanto como para oler su colonia, que le hacía pensar en el sexo. El simple hecho de ver sus dedos frotarse contra una desafortunada hebra de tejido desgarrado había hecho que sus ojos se encendieran y que su boca se secara.

—De nada —dijo él silenciosamente, sin perder de vista sus ojos—. Está temblando, ¿lo sabe? Déjeme que la ayude a bajar.

Thad se bajó de la escalera y la apartó. Entonces, alzó los brazos y la cogió por la cintura. Sus robustas manos fueron a parar a ambos lados de su cadera. Ella notó como sus fuertes dedos la sujetaban alrededor de la cintura, encontrándose casi a la altura de su espina dorsal.

—Ponga sus manos sobre mis hombros y échese hacia delante. Yo haré el resto.

Elizabeth obedeció a pies juntillas. Al colocar tímidamente sus manos, llenas de rasguños, sobre sus hombros, Elizabeth notó que el tejido de su camisa era suave al tacto. Sus manos tenían un aspecto diminuto y femenino en aquella situación. Cogiéndola con suavidad por la cintura, Thad la levantó de la rama. Ella aterrizó contra él y le hizo perder ligeramente el equilibrio. Tenía los brazos alrededor de ella. Dio unos cuantos pasos hacia atrás, llevándola con él.

Su pecho era sólido como un muro. Todo él lo era. La hacía sentirse frágil y vulnerable. Sus sentidos se dispararon.

Tonterías. Aún estaba mareada de la altura, se trataba simplemente de eso. Pero ¿por qué no podía sentir el suelo?

Porque no lo estaba tocando, por eso. Él la sujetaba contra su cuerpo. Lentamente, la bajó hasta que sus pies tocaron el frescor del jardín. Sus pechos se arrastraron contra su pecho. Por un instante, su entrepierna se rozó contra la cremallera de sus pantalones.

Elizabeth sintió una onda de calor atravesar su cuerpo.

—Bueno, ¿y ahora mejor? —preguntó él.

—Mucho mejor —asintió ella.

Thad le quitó las manos de la cintura. Ella dio un paso atrás, alargando las distancias entre los dos. Cuando Elizabeth osó finalmente levantar la cabeza para mirarle a los ojos, pudo ver reflejada en ellos la imagen de una mujer acalorada de pura excitación.

Entonces, se quedó atónita al comprobar que aquella mujer era ella misma.

Capítulo 2

—¡Dios mío, mamá, vaya ojos que llevas!

La voz aflautada de Matt hizo volver en sí a Elizabeth por un momento. Aún alterada, se llevó una mano a la nuca, donde pudo comprobar que se le había acelerado el pulso a un ritmo salvaje.

—Yo, uhhh, creo que lo de subirme al árbol me ha dado más miedo de lo que me pensaba. ¿Cómo está Baby?

—Mucho mejor —dijo Megan. La gatita estaba agazapada contra el diminuto pecho de la niña—. Está ronroneando.

Elizabeth conocía la sensación. También ella estaba ronroneando. Tarareando. Dando saltos de alegría. O lo que fuera. No se había sentido así desde... Hacía tanto tiempo que no se sentía flotar, que ni siquiera podía acordarse. Lo cierto es que hacía mucho tiempo que no la tocaba ningún hombre.

Evitó volver a mirar a su vecino hasta que no le quedó otro remedio que alzar la vista hasta Thad Randolph. Como ya se había puesto el sol, sus penetrantes ojos azules brillaban aún más bajo sus tupidas cejas oscuras en contraste con su pelo canoso.

Elizabeth intentó tragar saliva no sin cierta dificultad.

—Gracias por ayudarme a bajar del árbol, señor Randolph.

Él sonrió. Elizabeth pudo comprobar que tenía una dentadura perfecta. Dientes rectos, blancos.

—No hay de qué. Pero llámame Thad, por favor.

Una vez más se vio reflejada en sus ojos. Tenía el pelo alborotado y llevaba mechones de pelo rubio claro caídos por delante de la cara. Llevaba la blusa irremediablemente sucia y tenía una mancha de mugre en la barbilla. Su aspecto era tremendo y se había puesto en evidencia. Sin duda, él se divertiría contando a sus amiguetes la historia de aquella viuda loca que vivía una casa detrás de la suya. Cuando llegase a la parte de las enaguas y a lo que había dicho Matt al respecto, no tendría otro remedio que sonreír perversamente en señal de que la historia era aún mejor a partir de ahí, aunque la discreción le impedía contarlo todo.

—Vamos, niños —dijo ella bruscamente como si fuera una niñera inglesa que retoma sus funciones—. Se está haciendo de noche. Matt, por favor, vuelve a poner la escalera en el garaje.

—¿Por qué tengo que hacerlo yo? —protestó él—. Yo ya he ido a buscarla. Dile a Megan que la lleve ella.

—Yo estoy cuidando a Baby —refunfuñó Megan.

—Ahora me toca a mí cuidar a Baby. Que te crees que es tu gatita, pero no lo es.

—Fui yo quien la pedí.

—Sí, pero también es mía.

—Pero es más mía.

—¡Uh-hug! Es de los dos. ¿Verdad, mamá?

Elizabeth solía verlas venir este tipo de peleas y generalmente cortaba por lo sano. Esta noche, en cambio, estaban consiguiendo agotar su voluble paciencia.

—¿Queréis dejar de discutir y hacer lo que yo os digo?

Por si no tuviera bastante con el percance del árbol, ahora a sus hijos les daba por hacer gala de sus peores modales delante del vecino.

—Antes de que volváis a casa, me gustaría enseñaros algo.

Los tres se dieron la vuelta al oír las palabras pacificadoras de Thad Randolph.

—En mi garaje. —Thad le echó una sonrisa a Elizabeth—. A los niños les va a encantar.

—¿Los cachorros? —preguntó Megan en voz baja—. ¿Ya han nacido?

—Anoche. Son cuatro.

—Oh, mamá, ¿podemos ir a verlos?

Elizabeth estaba en un callejón sin salida. Aunque apreciaba el gesto conciliador de Thad, también le irritaba su intromisión en una discusión familiar. Pero negarse a dejar que sus hijos vieran unos cachorros le resultaba impensable. Ni siquiera las madres tenían el derecho de ser tan crueles.

—Los podréis ver en cuanto hayáis devuelto la escalera al garaje. —Eso. De ese modo, no se había rendido incondicionalmente.

Matt se puso en marcha, con la escalera a cuestas. Por muy increíble que pareciera, Megan le siguió y le aguantó la puerta.

—No te importa, ¿verdad?

Elizabeth se volvió hacia Thad.

—Por supuesto que no. Ya me han estado diciendo que tu setter estaba a punto de tener cachorros. —Hasta entonces no se había dado cuenta de lo alto que era. Ella ni siquiera le llegaba por la barbilla—. Sólo espero que no agobien a la nueva mamá.

—Penny es la perrita más dócil que he tenido nunca. Y adora a tus hijos.

Elizabeth se llevó las manos a la cintura, un gesto nervioso e inconsciente.

—No te molestan, ¿verdad? Parece que se pasan el día en tu jardín. Ya les he dicho que salgan de ahí, pero...

—No me molestan para nada. De hecho, me encanta verles jugar.

Se le pasaron por la cabeza miles de preguntas que hacerle. Como si tenía hijos propios. Si no era así, por qué razón. Si los tenía, ¿es que estaban viviendo con su ex mujer? ¿Había tal ex mujer? ¿O acaso se había quedado viudo como ella?

Incluso si hubiera tenido la oportunidad de satisfacer su curiosidad y de realizar preguntas tan personales, no lo habría hecho. En cualquier caso, no tuvo la oportunidad. Matt y Megan entraron corriendo, sin aliento, con los ojos encendidos y las mejillas sonrojadas de la emoción.

—He metido a Baby en casa no vaya a ser que le dé por asustar a los cachorros —dijo Megan.

—Vamos.

Thad se dio la vuelta y se dirigió hacia su garaje adosado. Todas las casas de la manzana habían sido construidas en los años treinta. Hacía una década se había puesto de moda que las familias jóvenes comprasen estas casas y las renovasen, como habían hecho John y Elizabeth Burke. Los dos niños echaron a correr, confundiéndose con las sombras de los árboles de los espacios colindantes entre las casas.

—Tened cuidado de no tocar a los cachorros —les gritó Elizabeth—. Y volved pronto.

—¿Tú no vienes? —Thad se detuvo y se dio la vuelta.

—Yo… uh… ¿se supone que tengo que ir? —tartamudeó ella—. O sea, ¿quieres que vaya?

—Pues claro. Venga. ¿Quién podría resistirse a ver a unos cachorros?

«Y qué mujer podría resistirse a esos ojos», pensó Elizabeth para sus adentros.

Él le tendió la mano, pero ella no se la cogió. Elizabeth se dispuso a caminar a su lado, despejándose con naturalidad unos mechones de pelo sueltos.

Toda esta escena le resultaba un tanto extraña. No se había vuelto a poner los zapatos, así que iba en calcetines. El césped estaba húmedo y frío contra las plantas de los pies. Había caído la primera helada la semana anterior y las hojas habían empezado a caer. De vez en cuando, pisaba una hoja seca y crujía a su paso. El sol se había ocultado tras el horizonte. Los jardines adyacentes estaban sumidos en la más profunda oscuridad. Se sentía obligada a sacar un tema de conversación, pero le resultaba difícil pensar en algo que pudiera interesarles a los dos. Al final, encontró uno.

—Me gusta el color del que has pintado la verja de tu casa.

—Gracias. Me llevó mucho tiempo pintarla toda.

—Ya, pues es una verja enorme.

—Y yo que odio pintar.

—Pues aún tuviste suerte de que acababan de pintar la casa cuando la compraste. —Llevaba viviendo allí unos seis meses. No se acordaba exactamente de cuándo se había mudado.

—No la habría comprado de no ser así.

Habían llegado a la puerta trasera de su garaje. Thad la abrió y se hizo a un lado para dejarla entrar primero. Con cierta timidez, ella entró por la puerta delante de él. Thad sintió en sus piernas el roce del dobladillo de su falda. Al rozar un tejido contra otro, se produjo una situación similar a una ola recelosa de abandonar la orilla.

Estaba oscuro en el interior del garaje porque la puerta que daba a la calle y a la entrada estaba cerrada. Sólo había una bombilla eléctrica que alumbraba la cama que Thad había improvisado para su setter irlandés y para sus crías. Olía a humedad y a almizcle en el interior. Inexplicablemente, a Elizabeth se le vino a la mente su fantasía del establo.

A pesar de tener terminantemente prohibido tocar a los cachorros para no despertar los recelos de la madre, los niños echaron a correr sobre la pila de mantas viejas, acariciando a la mamá y a sus recién nacidos. Elizabeth tenía miedo de que, con tanta agitación, Megan y Matt aplastaran algún cachorro. De nuevo, les pidió que tuvieran cuidado.

—Están bien, no pasa nada —dijo Thad. Le tocó el codo con la mano, para que se echara hacia delante.

—¿Podemos coger uno, mamá? Por favor —suplicó Megan.

—No lo sé —respondió ella vacilante. Aquella setter parecía benévola, pero las madres de neonatos podían llegar a ser excesivamente protectoras.

—No creo que a Penny le importe. Si lo haces con cuidado —dijo Thad.

Lentamente, cada niño cogió en brazos a uno de los pequeños cachorros. Lanzaron varias exclamaciones de asombro al contemplarlos. Elizabeth se sorprendió a sí misma haciendo lo mismo. Thad tenía razón. ¿Quién podía resistirse a un cachorro recién nacido?

—Uy, son monísimos, ¿a que sí? —susurró ella, arrodillándose para mirarlos desde más cerca. La setter irlandesa, Penny, les estaba prestando toda su atención y no parecía estar para nada irritada con los niños.

—¿Quieres coger uno?

Elizabeth miró a Thad desde el otro lado de una pila de mantas viejas sobre las que yacía la nueva familia. Él estaba apoyado con una sola rodilla en el suelo. La única luz de la bombilla dejaba la mitad de su cara en penumbra e iluminaba algunos mechones de pelo sueltos, en particular los más canosos. Tenía la cara curtida por la experiencia, pero era atractivo y fuerte. Su cara revelaba que se trataba de un hombre de gran integridad y firmes convicciones. No tenía pinta de ser de los que iban por ahí metiéndose en peleas, pero ni mucho menos de los que ponen la otra mejilla.

Había rastros de dolor en sus facciones. Y de sensibilidad. Y de sensualidad. Especialmente alrededor de su boca, atractivamente perfilada. Por los pelos no resultaba femenina, gracias a las arrugas que surcaban su piel verticalmente.

El pecho de Elizabeth creció. Se le resecó la boca. En respuesta a su pregunta, asintió con la cabeza. Con delicadeza, cogió uno de los cachorros en sus manos y lo separó del pecho de la madre. El cachorro protestó con un quejumbroso ladrido que provocó la risa de todos. Thad colocó aquella suave y cálida bola en las manos expectantes de Elizabeth.

Ella se acercó el cachorro a la mejilla y lo frotó contra su piel.

—Es un... es macho, ¿verdad?

Entre risas, Thad asintió con la cabeza.

—Eso creo. Tres machos y una hembra.

—Se ve si les miras el vientre —dijo Matt, con cierto aire engreído como quien hace alarde de un conocimiento superior en la materia—. Los machos tienen pene.

—¡Ah, que asco! —dijo Megan horrorizada. Levantó el cachorro que sujetaba en sus manos y le echó un vistazo a sus partes más íntimas. Satisfecha de estar sujetando a la hembra, continuó abrazándola con suavidad.

Elizabeth carraspeó con fuerza para aclarar la garganta. Podía sentir el peso de los risueños ojos de Thad cernirse sobre ella.

—Es tan dulce —murmuró ella, dejando que el cachorro se agazapara contra su mejilla.

—Mamá, ¿te gustan? —preguntó Matt.

—Por supuesto que sí. Son muy bonitos.

—¿Podemos quedarnos con uno?

—¡Matthew! —¿No le había enseñado su madre buenos modales?

—¡Por favor!

—¿Podemos, mamá? —aportó Megan.

—No.

—¿Por qué no?

—Porque acabamos de quedarnos con Baby. Basta de animales.

—Nos ocuparemos de él, de verdad.

—He dicho que no.

—Pero, mamá...

—Ya está bien, Matt —interrumpió Thad—. La verdad es que ya tengo apalabrados los cachorros.

—¿Todos? —preguntó el niño abrumado.

—Sí. Lo siento, amigo.

—No pasa nada —farfulló Matt, con la cabeza gacha.

Thad colocó su dedo debajo de la mandíbula abatida del niño y la levantó.

—Quizá cuando Penny tenga más cachorros, habremos convencido a tu mamá de que se quede con uno, ¿vale?

La cara del niño se iluminó de repente.

—¡Vale! —Devolvió el cachorro que estaba sujetando al

lado de su madre—. Le voy a decir a Tim que fui el primero en ver los cachorros y que la próxima vez que Penny dé a luz, me voy a quedar con uno. —No podía aguantarse las ganas de contárselo todo a su mejor amigo.

—Espérame. —Megan le devolvió el cachorro hembra a su madre y los dos echaron a correr hacia la puerta del garaje.

—Tened cuidado con los coches al cruzar la calle —gritó Elizabeth—. Y os quiero ver en casa en cinco minutos. Es hora de cenar.

—Vale, mamá. —La puerta se cerró tras ellos.

Elizabeth miró a Thad y sonrió impotente.

—¿Qué habré hecho mal?

Él se echó a reír al ver la cara de disgusto que ponía.

—No has hecho nada malo. Son unos niños fantásticos. Muy enérgicos. —Con una sonrisa en los labios, Thad acarició a Penny en la cabeza. El perro le lamió dócilmente la parte de atrás de la mano.

La puerta se cerró de un portazo, dejando un silencio vibrante en la sala. El garaje adquirió un toque íntimo de recinto privado. Semejante quietud consiguió que Elizabeth se sintiese incómoda. Casi no conocía a aquel hombre, a excepción de algunas palabras intercambiadas en la distancia. Quedarse a solas con él era desconcertante.

—Mejor será que vuelva a casa y empiece a hacer la cena. —Elizabeth se reclinó hacia delante y colocó el cachorro al lado de su madre. La criatura movió el hocico y encontró un lugar adecuado donde acurrucarse.

Cuando Elizabeth retiró las manos, Thad se las cogió por sorpresa, extendiendo la mano por encima de la madre y de sus crías. Le acercó las palmas de las manos a la luz.

—¿Qué has hecho con tus manos?

El impacto de sus caricias casi la deja sin habla.

—Contra el árbol. Me arañé contra la madera —logró decir finalmente.

—En cuanto llegues a casa, será mejor que las laves con un desinfectante y que les eches algún ungüento.

—Eso haré.

Entonces, los labios de Thad dibujaron una sonrisa sesgada, como si se estuviera riendo de sí mismo.

—¿Quién soy yo a fin de cuentas para dar consejo a una madre de dos niños?

Ella le devolvió la sonrisa, pero retiró las manos, intentando no parecer que tenía demasiada prisa en hacerlo. Pero sí que la tenía. Apenas pudo frenar el impulso de cruzarse de brazos por delante del pecho y meter las manos entre las axilas, como si le diera vergüenza que cometieran alguna trasgresión extremadamente grave. Sentía en ellas un cosquilleo, no precisamente provocado por los arañazos del árbol.

Él se levantó a la vez que ella y juntos caminaron hacia la puerta.

—No sabía que tenías una motocicleta —observó ella, encantada de encontrar una excusa para romper el hielo. Había una motocicleta aparcada en medio del garaje.

—Sí, la compré cuando volví de Nam. No tengo mucho tiempo para usarla, casi sólo los fines de semana, pero me divierte.

¿Nam? ¿Había sido soldado?

—No pareces el tipo de hombre que va en motocicleta.

Thad se detuvo con la mano en el pomo de la puerta.

—¿Qué tipo? No serás una de esas ultra conservadoras que se piensan que cualquier persona que se siente a horcajadas en una motocicleta es un degenerado, ¿verdad?

—Pues claro que no.

—Bien. Quizá puedas ir en moto conmigo algún día. Si te apetece.

—Uy, no lo creo —dijo ella rápidamente, mirando la motocicleta con recelo—. No creo que me guste montarme en una moto.

Hubo suficiente tiempo y espacio entre sus dos frases como para dejar que los ojos de Thad se tornaran inquisitivos. Por un momento, aquella mirada de ojos azules atrapó la de ella.

—No tires la toalla antes de haberlo probado.

Estudiando su cara, Elizabeth calibró sus intenciones y decidió que si sus palabras llevaban un doble sentido, saldría mejor parada ignorándolas.

—Los niños me estarán esperando —dijo ella incómoda.

Él le aguantó la puerta abierta. Ella salió al frescor de la noche. Había enfriado, pero ella parecía agradecerlo. Le ayudaba a despejar la cabeza. Se cruzó de brazos para entrar en calor y también para evitar que le viera los pezones. Estaban tiesos bajo su blusa. Como se diera cuenta, podría pensar que…

—Me encantan esas tonterías de encaje que llevas debajo de la ropa.

—¿Qué? —Elizabeth tropezó sobre el césped mojado y se dio la vuelta.

Se lo encontró sonriendo con franqueza.

—No es que crea que sean ninguna tontería. Sólo estaba usando las palabras de Matt. —La miró de arriba abajo del mismo modo arrogante, posesivo y machista que Adam había esgrimido en el Jardín del Edén y que ninguna legislación osaría nunca prohibir—. Cada vez hay más mujeres que se visten con aspecto andrógino. A mí me gusta mirar a una mujer que tiene aspecto de mujer.

—Gracias.

—¿Siempre llevas ropa ligera? —preguntó él, señalando con la cabeza la blusa y los pezones erectos que se vislumbraban tras ella.

Elizabeth se humedeció los labios con la lengua.

—Me gusta ponerme ropa femenina. Además, es bueno para mi negocio.

—Es verdad. Vendes lencería en tu tienda, ¿no es así? —Al verla tan sorprendida, explicó—: Un día cuando estaba en el Cavanaugh, te vi a través del escaparate de Fantasía.

—Oh.

Su primera reacción fue de sorpresa porque conociera su tienda. A continuación, se preguntó qué le habría llevado al Hotel Cavanaugh. En tercer lugar, se reprendió a sí misma por ser tan ingenua.

En las habitaciones del hotel tenían lugar actividades discretas de naturaleza dudosa. ¿Por qué si no un hombre tan atractivo como Thad Randolph iba a estar paseándose por el vestíbulo del Hotel Cavanaugh a plena luz del día? Y debía haber sido durante el día, porque ella no abría la tienda hasta tarde. Los restaurantes del hotel eran buenos, pero había otros en la ciudad que eran igual de buenos y menos caros para la comida. Lo más probable era que hubiera ido al hotel a satisfacer otro tipo de apetito.

—Antes de saber el nombre de tu tienda, siempre me había preguntado cuál sería el significado de tu matrícula.

—Fue idea de mi hermana —le dijo Elizabeth, ausente.

¿Sería la mujer con quien se había encontrado en el Cavanaugh alquilada para la tarde? ¿O se trataría de un ama de casa que se había enamorado del hombre equivocado? ¿O era quizá una mujer trabajadora que buscaba una cana al aire para relajar la presión en el trabajo?

¿Qué más le daba a ella? Carcomida por su propia curiosidad, dijo:

—La próxima vez que estés en el hotel, pásate por la tienda a saludar.

—Gracias. Eso haré. Quizá hasta compre algo. Lo que había por allí parecía… interesante.

¿Era un efecto óptico de las sombras de la noche o es que sus ojos se habían deslizado una vez más hacia sus pechos?

—Bueno, gracias de nuevo por ayudarme a bajar del árbol.

—El gusto es mío.

Una vez más, sus palabras causaron un cálido hormigueo en su interior. Por esa razón, le obsequió con una despedida de lo más fría.

—Buenas noches, señor Randolph.

—Buenas noches, Elizabeth.

Había usado su nombre de pila aun cuando ella había evitado usar el suyo. Sacudiendo la cabeza bruscamente, Elizabeth atravesó a toda prisa el jardín de Thad hasta llegar al suyo. Cuando llegó al sicómoro, recogió los zapatos aunque no se detuvo para ponérselos hasta que logró llegar a la puerta de atrás. En cuanto se cerró del todo tras ella, lanzó un hondo suspiro aliviada. Sin embargo, el descanso no duró demasiado. Oyó a sus hijos entrar por la puerta delantera.

—¿Mamá?

—Aquí. —Elizabeth dejó caer los zapatos al suelo y se dirigió hacia la nevera. Gracias a Dios, la señora Alder se había acordado de sacar un trozo de carne de ternera del congelador. Ya se había descongelado.

—¿Qué hay de cena? —preguntó Megan mientras entraba por la puerta que conectaba la cocina con el resto de la casa.

—Hamburguesas.

—¿Puedo encender el *grill* esta vez? —preguntó Matt.

—No, esta noche voy a freír la carne.

—Oh, mamá, saben mucho mejor cuando la cocinas fuera.

—Esta noche, no.

—¿Y por qué no?

Dios, qué estaba harta de esa pregunta.

—Porque soy mamá y he dicho que no. Ahora iros a lavar las manos y volved a poner la mesa.

Los niños se quedaron con el rabo entre las piernas, refunfuñando sobre algo que les parecía injusto. A Elizabeth se le hacía la boca agua pensando en la carne hecha a la barbacoa, pero no tenía ninguna intención de volver a salir esa noche. Todo el verano, se había puesto nerviosa al ver a Thad Randolph sentado en el porche forrado con mosquitera de detrás de su casa, viendo la tele hasta bien entrada la noche. Cada vez que salía, se debatía consigo misma. ¿Debería saludarle como hacía con el resto de vecinos? ¿Debería hacerle un ligero saludo como quien no quiere la cosa? Era enervante no saber nunca lo que hacer.

Si aún no la había visto, no quería que pensase que estaba intentando llamar la atención. Y cuando sí la había visto, no quería que supiese que sabía que había notado su presencia. Así que le había parecido prudente ignorarle siempre.

Su comportamiento era infantil, visto con buenos ojos, y maleducado, con malos, pero rara vez una viuda sabe cuidar bien su reputación. Aun a riesgo de parecer antipática, Elizabeth se había mostrado inalcanzable para el otro sexo desde la muerte de su marido dos años atrás.

Había saludado a John al salir por la puerta de atrás aquella fatídica mañana, sin sospechar que esa sería la última vez que lo vería vivo. De hecho, la había distraído Megan, que acababa de acordarse de que necesitaba una bobina de hilo y un plato de papel para un proyecto de arte en la escuela. Elizabeth ni siquiera había notado qué camisa ni qué corbata llevaba puesta su marido aquella mañana. De hecho, no se había dado cuenta de que necesitaba un corte de pelo hasta que tuvo que ir al depósito de cadáveres para identificar su cuerpo, que había sido rescatado de un choque múltiple en la autopista. Le llevó varios días recordar su última conversación privada. Su último beso. La última vez que habían hecho el amor.

Lo que siempre recordaría era su risa y su sonrisa, su dulzura y su cariño, su manera de hacer el amor y sus sueños de futuro. Había sido un hombre cariñoso que le había dado dos niños preciosos y una gran felicidad. Su muerte había dejado un vacío en su corazón que nunca podría ser llenado.

Esa enorme herida le molestaba más de lo normal esta noche. Por eso, cuando acurrucó en la cama a Megan y a Matt, los acercó a ella y les abrazó tan fuerte que les dio vergüenza tanta emoción y se intentaron escabullir.

Sus abrazos ardientes representaban algo más que su amor por sus hijos. Indicaban su necesidad desesperada de contacto humano, de intimidad de cualquier tipo. Echaba de menos recibir el amor y el cariño de otra persona. El amor y el cariño de una persona adulta. De un hombre. A veces su cuerpo y su alma estaban tan hambrientos que pensaba que iba a morirse.

En cuando las luces se apagaron en el resto de la casa, entró en su dormitorio y encendió la lámpara de pie. La tenía a su lado sobre un pie dorado y la lámpara era de cristal con forma de flor de loto. Había redecorado la habitación varios meses tras la muerte de John, porque le traía un sinfín de recuerdos dolorosos.

Ahora estaba decorada como ella quería, pero no encontraba la felicidad en ella. Una habitación bonita debería ser compartida. Su tocador podría ser un convento de clausura. Lilah tenía razón. Vivir como una monja no resultaba divertido a no ser que fueras una monja. Ir a la cama sola cada noche no era algo que le apeteciera especialmente. Echaba de menos el calor de otro cuerpo contra el suyo mientras dormía.

Pero ¿qué podía hacer con su celibato una viuda con dos hijos que buscaban en ella una guía moral? Nada. A pesar de los consejos de Lilah, no podía salir corriendo y echarle las redes a un hombre para calmar la fiebre en su interior. Le gustaría poder tomarse una píldora para eliminar los impulsos sexuales del mismo modo que la aspirina combate la fiebre.

Gracias a la psicología de andar por casa de Lilah, su mente se había disparado hoy. Se había comportado como una perfecta idiota delante de Thad... el señor Randolph... esa noche. Ahora debía estar allí riéndose de haberla visto tan ruborizada al rescatarla del árbol.

Enojada consigo misma por haber actuado como una tontainas risueña delante de una espalda imponente y de un buen par de ojos azules que bien podrían competir con los de Paul Newman, apagó la lámpara y se fue a la cama. Pero no podía resistir la tentación de mirar a través de la persiana para comprobar si él aún tenía las luces encendidas.

Sí. Podía verle a través de la mosquitera que rodeaba su porche. Estaba sentado en una poltrona, mirando los destellos grises de la pantalla de su televisor. Él también estaba solo. Y se preguntó si su soledad era auto infligida o si odiaba la soledad tanto como ella.

—¿Y entonces qué ocurrió?

—Y entonces se subió al árbol y la ayudó a bajar.

—¿El señor Randolph hizo eso?

—Ah-ha. Le ayudó con sus propias manos.

—Pero eso fue después de que se le rasgaran las enaguas.

—Ah, sí. Se me había olvidado eso.

—¿Se le rompieron las enaguas? No me habías dicho eso. Vuélvemelo a contar.

—Buenos días.

Las tres cabezas se volvieron al unísono en cuanto oyeron la voz adormilada de Elizabeth. Mientras se abrochaba el cinturón de su bata de felpa, que era lo bastante vieja como para tirarla a la basura, Elizabeth le lanzó a su hermana una mirada envenenada y se fue directamente hacia la cafetera.

—¿Por qué no me despertaste? —preguntó ella, revolviendo el azúcar en el café negro.

—Porque daba la sensación de que necesitabas dormir más. —Con una amplia sonrisa felina, Lilah dio un mordisco a una tostada con panceta.

—Ya veo que has desayunado. —En la mesa de cocina redonda había tres platos embadurnados de sirope de arce.

—He preparado unos *pancakes* para los niños. ¿Quieres?

—No —soltó Elizabeth de mala gana. En un día cualquiera, se habría mostrado agradecida de que Lilah se pasase a preparar el desayuno para Megan y Matt, porque así podía dormir hasta más tarde. Los sábados Fantasía sólo abría a partir del mediodía y hasta las cinco de la tarde. Era la única mañana de la semana que podía dormir pasadas las seis y media—. Id a hacer los deberes —les dijo a los niños enfadada—. Haced las camas y meted toda la ropa sucia en el cesto.

—¿Y después podemos ir a jugar?

—Sí. —Mientras esbozaba la primera sonrisa del día, Elizabeth le dio un pequeño azote a Matt al pasar por delante de su silla. Como deferencia hacia Megan, que era mayor en edad, le dio un simple abrazo.

—Son unos niños buenísimos —señaló Lilah una vez que estuvieron a solas.

—Y muy charlatanes. Sobre todo cuando tienen a una metomentodo tirándoles de la lengua.

—Yo no les tiré de la lengua —dijo Lilah con rectitud—. Me limité a preguntarles qué había de nuevo y ellos me lo contaron. —Apoyó los codos sobre la mesa y se reclinó hacia delante—. ¿Acaso el misterioso señor Randolph te rescató *realmente* del árbol anoche?

No tenía ningún sentido negarlo.

—Sí, así fue.

—¡Bingo! —Lilah se echó a reír, aplaudiendo con las manos.

—Tampoco fue para tanto. Ni mucho menos tan melodramático como tú lo pintas.

—Estábamos llegando a lo mejor cuando entraste aquí. ¿Qué es eso de que se te rompieron las enaguas?

—Nada. Se me engancharon las enaguas en una ramita.

—¿Y él te las desenganchó? —La sonrisa de Lilah era del todo lasciva.

—Sí, pero fue una experiencia humillante. Me sentí como una estúpida.

—¿Cómo es? ¿Qué dijo?

—Olvídalo, Lilah. Es... es viejo.

—¿Viejo?

—Bueno, tú misma has notado que tenía canas. Es demasiado viejo para mí.

Lilah frunció el ceño.

—¿Cuántas canas? ¿Cómo de viejo?

—No lo sé. No le pregunté —respondió Elizabeth de mala manera.

—Hmm, bueno, es un comienzo. Al menos has hecho que te prestara atención.

—No lo he hecho a posta.

—El resultado neto es el mismo.

—Métetelo en la cabeza, no hay ningún «resultado neto».

—Deja de gritarme, Elizabeth. Me estoy preocupando por ti.

—Bueno, pues no te preocupes tanto.

Lilah se volvió a sentar en la silla, suspirando desesperada.

—Querida, estás más quisquillosa esta mañana que un perro viejo. ¿Sabes lo que creo? Creo que estarías de mucho mejor humor si se tirara más tiempo hurgando entre tus enaguas.

—Lilah —le reprobó Elizabeth.

Lilah era incorregible.

—Ten, léete esto mientras yo friego los platos. —Le tiró una revista a Elizabeth antes de ponerse a recoger la mesa. Era una publicación mensual popular que llegaba a muchísimas lectoras—. Página diez.

Elizabeth fue directa a la página señalada. Al leer el eslogan del anuncio, alzó la vista para mirar a su hermana, una mirada que Lilah ignoró a posta.

Cuando Elizabeth acabó de leer aquel largo anuncio, Lilah había colocado ya todos los platos en el lavavajillas. Se volvió hacia la mesa. Las dos hermanas se miraron la una a la otra.

—¿Y bien? —dijo Lilah finalmente.

—¿Y bien qué?

—¿Qué te parece la idea?

—¿No lo dirás en serio? ¿Esperas que me ponga a escribir mis fantasías para la publicación?

—Eso es.

—Estás enferma.

—Soy una mujer normal. Y tú también. Como también lo son tus fantasías. Sólo que me apuesto algo a que son más detalladas y románticas que la mayoría. ¿Qué habría de malo en escribirlas y entregárselas a este editor para el libro que está preparando?

—¿Qué hay de malo? —gritó Elizabeth—. Lo malo es que tengo dos hijos.

—Pero ellos no van a comprarse una copia, ¿verdad que no?

—No seas pesada, Lilah. Tu idea es absurda. Nunca me sentiría cómoda haciendo algo así. Soy madre. Y viuda.

—Pero pareces una abuela. Eres una joven y atractiva mujer cuyo marido ha tenido una muerte prematura. Dice aquí que buscan historias de mujeres «normales». Tú das el tipo. Lo único que no es normal es tu vida amorosa, que es nula. Sin embargo —añadió rápidamente en cuanto vio que Elizabeth estaba a punto de intervenir—, puede tener su aliciente. Si tienes carencias, entonces tus fantasías pueden resultar brillantes.

Elizabeth alzó las pupilas al cielo.

—No puedo hacerlo. No sé de dónde sacaste esa disparatada idea.

—Mira —dijo Lilah, colocando su mano sobre la mesa—, si te pones a escribir tus fantasías, todas las que puedas, yo me encargaré del resto. Las entregaré con un pseudónimo. Podrás conservar tu anonimato. Me encargaré yo de todo excepto de cobrar el cheque que el publicista te envíe cuando los manuscritos sean seleccionados.

—¿Qué cheque?

—¿No has leído esa parte?

—No he llegado hasta el final.

—Mira, aquí lo pone. —Lilah señaló esa parte del texto—. Pagan doscientos cincuenta dólares por cada fantasía que seleccionen para incluir en el libro, independientemente de que sean largas o cortas, históricas o contemporáneas, en primera persona o como sea.

Muy a pesar suyo, Elizabeth sintió ciento interés. Había invertido casi todo el dinero del seguro de vida de John y sus ahorros en abrir Fantasía. Desde el principio, la tienda en el concurrido vestíbulo del Hotel Cavanaugh le había reportado beneficios, aunque muy discretos. No es que malviviera, pero tampoco se podía permitir grandes lujos. A medida que crecían los niños, se volvían más caros de mantener. Siempre le había preocupado la cuestión de cómo financiar sus estudios universitarios.

Por otro lado, ganar dinero escribiendo sus más secretas fantasías le parecía un oficio de dudosa reputación.

—No soy escritora.

—¿Y eso cómo lo sabes? ¿Alguna vez lo has intentado? Siempre sacaste excelentes notas en la clase de Lengua y Literatura. Además, por lo que tengo entendido, la imaginación es el noventa y nueve por ciento del arte de escribir. En eso estás abonada, Lizzie —replicó Lilah antes de que ella continuase en sus trece—. Esto es algo para lo que te has estado preparando toda tu vida. Nadie sueña despierta más que tú. Es hora de que conviertas ese pasatiempo en un negocio rentable.

—No podría.

—¿Por qué no? Eso seguirá siendo nuestro pequeño secreto, igual que aquella vez que pegamos las zapatillas de mamá al suelo del baño.

—Tal y como yo lo recuerdo eso también fue idea tuya. Y me cayó una bofetada por seguirte la corriente.

—Pero fue tan divertido que valió la pena la bofetada —dijo Lilah encogiéndose de hombros desdeñosa.

Elizabeth suspiró, consciente de que Lilah nunca aceptaba un no por respuesta.

—Tampoco tendría tiempo de escribir por mucho que quisiera.

—¿Qué más tienes que hacer por las noches?

En eso tenía razón y Elizabeth se la concedió. Dejó la mesa y se dirigió a la cafetera sobre el mostrador.

—Me daría vergüenza que alguien se pusiera a leer mis fantasías.

—¡Bien! Eso quiere decir que son picantes y calenturientas. Y eso es justo lo que están buscando. ¿Ves? «Explícitas, pero sabrosas» —leyó en la revista—. Eso quiere decir que las tienes que escribir buenas y sucias, pero no demasiado crudas.

—Creo que entre lo que ahí pone y tu interpretación hay un trecho.

—Bueno, ¿vas a hacerlo o no?

—No. Si te parece tan buena idea, ¿por qué no lo haces tú?

—Porque yo no tengo tu misma creatividad. Cuando jugábamos, siempre eras tú la que se inventaba los escenarios. Yo me limitaba a representar el rol que me tocaba.

Ciertamente, Elizabeth sentía la tentación. Sería una especie de catarsis al fin y al cabo. Un modo de liberar su frustración sexual. Un reto que necesitaba. Algo que sería sólo suyo y de nadie más. No era algo que haría para sus hijos, ni para sus negocios, sino para sí misma, como mujer. A fin de cuentas, se concedía muy pocos caprichos.

—No lo sé, Lilah —dijo, resistiéndose a la rendición absoluta—. Me resulta tan… tan…

Su voz se desvaneció al detectar algo al otro lado del jardín. Thad Randolph estaba dando martillazos a unos maderos para unirlos con unos cables y así formar lo que parecía una especie de redil. Probablemente sería para los cachorros. Matt le estaba ayudando a sujetar los clavos. Megan le daba consejos, sentada en un viejo columpio que un antiguo propietario de la casa de Thad había colgado de la rama de un roble. Baby estaba acurrucado en el regazo de Megan.

Pero lo que más llamaba la atención de Elizabeth era aquel hombre. Llevaba la camisa desabrochada, dejando al descubierto su robusto pecho y su barriga lisa. Le crecían parches sueltos de rizos oscuros en puntos estratégicos. Los ágiles músculos de sus brazos y los hombros se contraían y se relajaban cada vez que se movía. Por encima de las cejas le caía un mechón de pelo sudado. Se rió por algo que dijo Matt. Al reírse, echó atrás la cabeza y dejó al descubierto la fuerte tez de su garganta. Al levantarse y sacudirse el polvo de los vaqueros, Elizabeth no pudo evitar notar cómo se le quedaban pegados a los muslos.

—¿Qué ocurre? —Lilah se le acercó por detrás y miró a través de la ventana sobre el fregadero. Elizabeth oyó el gemido de su hermana. Durante unos momentos, miró a Thad Randolph hasta que subió las herramientas hasta su hombro y las llevó a cuestas hasta el garaje. Matt y Megan corrieron tras él.

Elizabeth le dio la espalda a su hermana y se dispuso a tomar otra taza de café.

—Así que viejo, ¿eh? —dijo Lilah irónicamente.

—Ya te dije que no sabía su edad.

—Lizzie, los hombres que tienen ese aspecto no envejecen, en todo caso maduran. Con ese aspecto, ¿qué más da si tiene cincuenta? ¿O ciento cincuenta?

—A mí me da exactamente lo mismo. Parece que se te escapa ese pequeño detalle de vital importancia.

—¿De qué color son sus ojos?

—Tirando a azules.

«Tirando a un azul zafiro radiante y reluciente», pensó.

—¿A qué se dedica?

—Es propietario de una empresa de cemento, creo. Eso es lo que me dijo uno de los vecinos cuando se mudó a la casa. Su jeep lleva el nombre grabado en un lado.

Lilah dio un chasquido con los dedos.

—Cementos Randolph. Claro. Sus camiones están en todas la obras de construcción de la ciudad. Debe de estar forrado.

—Mamá siempre nos enseñó que era vulgar discutir sobre la riqueza de una persona.

Lilah había dejado de preocuparse sobre lo que su madre consideraba vulgar hacía años. Miraba impertérrita por la ventana con la esperanza de volver a verle de nuevo.

—¿Has visto de qué manera ha manejado la herramienta?

Elizabeth giró la cabeza de golpe y Lilah se echó a reír.

—¡Qué me dices! Estaba pensando en el martillo. ¿En qué estabas pensando tú?

—Todo lo que tú estás pensando está mal —dijo Elizabeth duramente.

—¿Y qué se supone que estoy pensando?

—Que se está urdiendo un romance entre nuestros jardines. Es un hombre agradable. Y tiene mucha paciencia con mis hijos.

—Es una gran virtud considerando su «edad avanzada»

—dijo Lilah sarcásticamente—. ¿No le molestan durante la siesta?

Elizabeth se la quedó mirando.

—Francamente, estoy agradecida del tiempo que pasa con Matt en particular. Necesita la influencia de un hombre. Pero eso es todo, Lilah. Nunca podría sentirme atraída a un hombre como el señor Randolph.

—¿Te has mirado el pulso recientemente? Como no te atraiga uno así, entonces igual es que estás muerta.

Elizabeth lanzó un hondo suspiro.

—No es mi tipo. Es demasiado… físico. Demasiado grande…

—Ah-ha. —Lilah hizo un chasquido con los labios.

Elizabeth hizo un esfuerzo sobrehumano por ignorar también ese gesto.

—Nunca perdería la cabeza por un albañil.

Lilah sonrió con picardía.

—Cuánto te va a que tu albañil no sólo parece un tío duro, sino que además lo está.

—¡Oh! ¿Por qué no te vas al cuerno? Estoy segura de que estarás mejor allí. —Lilah se rió de ella—. Y ya te puedes ir olvidando de que escriba mis fantasías para después publicarlas. ¡Ni siquiera tengo fantasías!

Capítulo 3

Las cifras se nublaron delante de sus ojos una vez más. Impaciente, Elizabeth dejó caer su lápiz y dejó de pensar en el registro de contabilidad de Fantasía. Era lunes por la mañana. La tienda estaba abierta sólo desde hacía media hora. Por el momento, no tenía clientes. Estaba aprovechando para hacer un poco de números mientras esperaba la llegada del señor Adam Cavanaugh. Le habían advertido que iba a hacer una ronda de reconocimiento por el hotel más tarde en la jornada.

Pero cada vez que intentaba revisar la columna de beneficios y pérdidas delante de ella, su mente empezaba a divagar. No dejaba de volver a la discusión que había tenido con Lilah el sábado anterior por la mañana. Su hermana había plantado una semilla en el campo fértil de su cerebro y había germinado a pesar de su deseo de que se marchitara y se muriese.

Aunque le hubiesen metido cañas de bambú bajo las uñas en un interrogatorio forzoso, Elizabeth no habría reconocido que había escrito su fantasía del establo cuando estaba a solas en su habitación el sábado por la noche. La idea le había estado rondando la cabeza durante la cena de McDonald's y la película de Walt Disney a la que había invitado a sus hijos aquella noche. Ante la posibilidad de encontrarse con Thad

Randolph, le habían entrado ganas de merodear por fuera de la casa. Había dejado a los niños fuera hasta tarde y, cuando finalmente volvieron a casa, le sorprendió comprobar que su jeep no estaba aparcado en la entrada.

La salida había valido la pena de todos modos. A los niños les había encantado la película de dibujos animados. Los dos le habían dado las gracias cuando les dio el beso de buenas noches. Pero como siempre, al volver a su habitación, se había desvestido y se había encontrado sola.

Fue entonces cuando había sacado su cuaderno de espiral del cajón de la mesita de noche y se había puesto a describir con palabras las imágenes que su mente pintaba constantemente. Se había perdido en los subterfugios de su imaginación. Las palabras parecían llover sobre el papel *de motu proprio*. Fluían libremente de su pluma como si fueran tan mágicas como la varita mágica del cuento de hadas que acababa de ver.

Las descripciones de personajes, su ropa, sus escenarios, todas fluían con facilidad porque las imaginaba con total claridad. Aunque algunas palabras las había encontrado difíciles de escribir. Palabras que nunca tendría ocasión de decir en voz alta. Partes del cuerpo, por ejemplo, o palabras con connotaciones sexuales ostensibles. Sin embargo, las había escrito de todos modos. Al poner el punto final al término de la última frase, su cuerpo estaba húmedo de sudor y su corazón latía al ritmo de quien hace el amor.

Había dejado su pluma a un lado, revisado las páginas y leído lo que había escrito. Después de leer la última palabra, había echado a un lado las sábanas, había arrancado las páginas del cuaderno y las había destruido en el baño.

Su fantasía le había parecido cursi. Lilah estaba loca y ella estaba más loca aún por haberla escuchado. Agitada consigo misma, había vuelto a la cama y apagado la lámpara. Había intentado dormir, apretando los ojos hasta tal punto de sentir dolor de cabeza. Mientras daba vueltas en la cama, había intentado convencerse a sí misma de que la fantasía que acababa de leer era tan mala que resultaba ilegible. Pero eso no era verdad. La había destruido porque era increíblemente buena.

Había vivido consigo misma durante veintinueve años y nunca se había percatado de la mente calenturienta que tenía.

Fantasía cerraba los domingos. Aquella tarde había llevado a los niños de picnic al parque municipal para tenerlos ocupados fuera de casa. Cuando se habían ido, Thad había estado fuera podando los arbustos.

—¿Puede venir también Thad al picnic? —le había preguntado Matt mientras ella lo estaba metiendo en el coche.

—Thad está ocupado.

—Seguramente no estaría ocupado si le pidiéramos que se viniera de picnic.

—Pero no se lo vamos a pedir.

—Si tenemos muchísima comida.

—Yo le puedo dar un poco de la mía —ofreció Megan.

Elizabeth se había puesto al volante y había arrancado el coche inmediatamente para dar el tema por zanjado. El picnic había sido todo un éxito. Sin embargo, mientras los niños jugaban en los columpios, Elizabeth se había sentado en un banco del parque a analizar la fantasía que había escrito la noche anterior. Había intentado pensar de qué manera podría modificarla y mejorarla. Creía que así se acordaría de que ya no existía y de que era un tema zanjado. Quería obligarse a olvidarla.

Ahora era lunes. Tenía mucho trabajo por delante. El propietario del grupo hotelero estaba al caer de un momento a otro. Y aún no se había olvidado de aquel sueño erótico que había trasladado al papel. Estaba preocupada por su fantasía y por su turbador vecino.

Aunque «ese» era el problema, no podía tacharlo a él de turbador. No tenía ningún derecho a echarle la culpa de nada. Como vecino era perfecto. Podía haber sido un viva la vida con hordas de mujeres desfilando por su casa. Podía haber sido de los que montan orgías de sexo y alcohol sin dejarla dormir por las noches. Podía ponerse quisquilloso con el ruido que hacían sus hijos cuando jugaban en el jardín de atrás. La motocicleta parecía una característica atípica en él. Ella sospechaba que tampoco debía ser ningún angelito, pero al menos no tenía que lidiar con un festero redomado.

Por supuesto, podía haber sido más modesto y no dejarse la camisa desabrochada cuando estaba trabajando en el jardín de delante de su casa. Pero también es cierto que podría habérsele ocurrido no llevar nada puesto encima. ¿Y qué habría pasado si no hubiera llevado camisa el día del percance con Baby? ¿Y si hubiera llevado los brazos al descubierto cuando se había subido al árbol y la había abrazado con sus robustas manos? ¿Qué habría pasado si ella hubiera tocado sus hombros desnudos y si él la hubiera apretado contra ese pecho amplio y peludo y ese vientre plano y ondulado? ¿Y si...?

—¿Señora Burke?

Elizabeth se sobresaltó como si hubiese oído un disparo y se dio la vuelta para ver a un grupo de personas congregadas en el interior de su tienda. La miraban tan sorprendidos que se paró a pensar cuántas veces habría pronunciado su nombre aquel hombre antes de que ella reaccionara.

—¿Sí? —dijo ella avergonzada, casi sin aliento.

—Hola. Soy Adam Cavanaugh.

El hombre de pelo negro y ojos oscuros que estaba cruzando la alfombra de felpa mientras le tendía su mano era de un atractivo rompedor. Impecablemente vestido con un traje de rayas hecho a medida, aquel hombre aún se las arreglaba para tener un aspecto tan gallardo como el de un pirata. Tenía un destello irreverente en su sonrisa, que era amplia, blanca y amable, y también en sus ojos del color del café, que centelleaban risueños tras haberla pillado *in fraganti* en una fantasía, como a una niña mala. El hombre le estrechó la mano con firmeza.

—Señor Cavanaugh, es un placer conocerle en persona. —Se congratulaba a sí misma por no balbucear, lo cual, dadas las circunstancias, era todo un logro.

—Lo mismo le digo. —El hombre le soltó la mano y echó un vistazo por toda la tienda. Se limitaba a asentir con aparente satisfacción, mientras se volvía hacia su obediente séquito de colaboradores, de esos que dicen amén a todo—. Las fotografías que me enviaron le hacen justicia a Fantasía. —Sus ojos oscuros se posaron sobre Elizabeth—. Me encanta.

—Gracias.

—¿De dónde sacó la idea?

Ella sonrió tímidamente.

—Siempre me han gustado las cosas bonitas. Las cosas femeninas. Cuando decidí montar un negocio por mi cuenta, tenía claro lo que quería vender. Intenté encontrar un local idóneo para una tienda, por dónde pasaran hombres deseosos de comprar regalos para sus… esposas. Por aquel entonces, el Hotel Cavanaugh estaba aún en obras. —Elizabeth le sonrió—. Me parecía la opción más lógica.

—Muy intuitiva.

—Me alegro de que usted viera el mismo potencial que vi yo y que aceptara la propuesta que le envié.

—En realidad, no puedo atribuirme el mérito de haber

aprobado su idea. Tengo unos empleados trabajando para mí que se encargan de los arrendamientos. Sin embargo, estoy encantado de que hayan decidido a su favor.

Elizabeth estaba horrorizada de su propia ingenuidad. Adam Cavanaugh era un hombre demasiado importante y estaba demasiado ocupado como para preocuparse con todos y cada uno de los arrendatarios. Sintió que se estaba ruborizando.

—Estoy segura de que su buen aspecto contribuye a inflar las ventas, señora Burke. —Sin reparos, Cavanaugh se puso a observarle la cara y el pelo. Llevaba el moño suelto y lo suficientemente alborotado como para sugerir que la habían despeinado. Como si quizá hubiesen sido las caricias de un hombre las responsables—. Sin duda, da usted el tipo.

Elizabeth se ruborizó ante el peso de su atenta mirada.

—He puesto té a hervir. —Esperaba desviar la atención hacia otro lado, señalándole la tetera plateada y un grupo de tacitas de porcelana puestos en una pequeña mesa redonda cubierta con un tapete de encaje—. ¿Le gustaría probar alguno de los chocolates que vendo?

—Le diré que no al té, pero los chocolates los probaré sin duda —dijo él con una brillante sonrisa, casi infantil.

No sólo Adam Cavanaugh era increíblemente guapo, sino que además era simpático. Habló con Elizabeth mientras los lacayos a su alrededor tomaban sorbos de té y engullían al menos cincuenta dólares de chocolates. El empresario parecía genuinamente interesado en ella. Cuando mencionó a sus hijos, le interrogó en profundidad sobre ellos y prestó mucha atención a sus respuestas. No le extrañaba que aquel hombre hubiera tenido tanto éxito. Sabía escuchar y hacer sentir a su interlocutor que lo que tenía que decir era importante, interesante y entretenido.

Volvió a cogerla de la mano y la apretó entre la suya.

—Estaré yendo y viniendo las próximas semanas —le dijo él—. Me gustaría que tuviéramos una cita a solas. ¿Podemos quedar?

—Por supuesto —respondió Elizabeth con más serenidad de la que sentía. Su manera de tocarla era la de un hombre que tocaba con frecuencia a las mujeres, que sabía cómo hacerlo y era consciente de cuánto a ellas les gustaba.

—Espero verla pronto, entonces.

Retuvo su mano durante unos segundos antes de despedirse y volverse hacia la puerta. Entonces se quedó parado al ver a la mujer que estaba de pie en el umbral de la puerta. Llevaba pantalones de cuero ajustados metidos por dentro de las botas altas y un chal de cachemir con flecos por encima del jersey negro de cuello de cisne. De pendientes, llevaba unos aros de oro que le llegaban casi por los hombros. Uno llevaba una pluma colgando.

Era Lilah. El corazón de Elizabeth se aceleró al ver la malicia escondida tras la mirada de su hermana. Lilah era impredecible, uno no podía imaginarse lo siguiente que iba a decir o hacer.

—Hola, Adam. —Lilah ofreció a Cavanaugh su sonrisa más atrevida. Al osar tutearle, varios miembros de su séquito palidecieron—. Te reconozco por las fotos de los periódicos.

Aunque en ese momento prefería que se la hubiese tragado la tierra, la responsabilidad de hacer presentaciones era de Elizabeth.

—Señor Cavanaugh, le presento a mi hermana, Lilah Mason.

—¿Cómo le va, señorita Mason?

Lilah apoyó su hombro contra la jamba de la puerta con

aire relajado en consonancia con su tono de voz y sus ojos a media asta.

—¿Cómo me va el qué?

Uno de los subordinados de Cavanaugh carraspeó. Otro lanzó un grito de asombro. Por detrás de Adam, Elizabeth se dedicaba a lanzar amenazas no verbales a su hermana. Pero Lilah continuaba impertérrita.

—Si ya estabas saliendo por la puerta, no es mi intención retenerte.

—No se preocupe. —Cavanaugh se volvió hacia Elizabeth y la saludó con la cabeza. A continuación, se apresuró a pasar de largo al lado de Lilah, que seguía apoyada indolente contra la jamba de la puerta. Los vasallos de Cavanaugh se disiparon tras la aureola de su enojado caudillo.

—Lilah, ¿cómo has podido? —dijo Elizabeth en cuanto el grupo salió por la puerta.

Lilah se rió relajada.

—Tranquilízate, Elizabeth. Lo tenías en el bote. Te estaba viendo a través del escaparate. Me he comportado de ese modo para que parecieras un ángel en comparación. Básicamente, sólo te he hecho un favor.

—Bueno, pues no me hagas más favores. Casi me muero de vergüenza. Mamá y papá se habrían quedado muertos.

Lilah se echó por encima el chal con el brío de un torero.

—Lo dudo. Saben de sobra que soy la oveja negra. ¿Puedo comerme esta chocolatina que ha quedado? No pensaba que esos buitres fueran a dejar nada. —Se llevó una chocolatina a la boca y la masticó con fruición.

Elizabeth se frotó la frente.

—Tengo dolor de cabeza.

Lilah se compadeció.

—¿Cómo iba la cosa antes de entrar yo? No tenía mala pinta desde fuera.

—Es encantador.

—Yo también podría ser encantadora si tuviera todos los millones que tiene él.

Elizabeth no le hizo caso.

—No me esperaba que fuera tan sincero, tan humano. Esperaba que fuera brusco y despiadado. Tiene aspecto de intimidar.

—Sinceramente, Lizzie, quédate tú con el bombón. Tiene mucha labia, pero es todo lengua. ¿No te das cuenta? Disfruta de su encanto, pero no caigas en sus redes.

—Me ha gustado.

—Se supone que te tiene que gustar.

—Me ha pedido que nos veamos pronto en privado.

—¿Ah sí? —Lilah le dio un sorbo al té, puso cara rara y volvió a posar la taza sobre la mesa.

—No digas «¿Ah sí?» con ese tono. Será una reunión de trabajo. —Lilah la miró escéptica—. Se trata *sólo* de negocios.

—Seguro que sí —dijo Lilah sin creérselo ni un pelo.

—No entiendo cómo puedes ser tan suspicaz con él.

—Pues te voy a decir porqué. Vale que sea guapo, te doy la razón. Pero nunca me acabo de fiar de los hombres que son tan corteses. Es sólo que no me fío de ellos. Me da la sensación que esconden algo.

Elizabeth se había cansado del tema. Adam Cavanaugh probablemente no volvería a hablar con ella nunca más. Quizá hasta pondría fin al arrendamiento después del comportamiento de su hermana.

—¿Qué estás haciendo aquí de todos modos? ¿No tienes pacientes hoy? ¿O esta es la última moda en batas de fisioterapeutas?

—Depende del tipo de terapia que te haga falta —dijo con una risa procaz—. ¿No te gusta cómo me queda? —Lilah se dio la vuelta y Elizabeth tuvo que admitir que su hermana estaba guapísima—. De hecho, voy así vestida para uno de mis pacientes. Se quedó parapléjico porque tuvo un accidente con la moto. Se queja de que la gente tiene prejuicios contra los que van en silla de ruedas, yo incluida. He pensado que hoy le voy a enseñar lo abierta de mente que soy.

Elizabeth se acordó de la conversación que había tenido con Thad sobre motocicletas y los prejuicios de la gente.

Lilah hizo que volviera en sí.

—¿Has escrito alguna fantasía para mí?

—No. —Lilah se dio cuenta inmediatamente de que no era verdad, pero antes de decir nada, un cliente entró en la tienda. Miró a su alrededor inquieto. Elizabeth reconocía los síntomas. Estaba incómodo en un entorno tan femenino, igual que lo estaría una mujer cualquiera buscando un tornillo para una tuerca determinada. Llevaba la misma expresión perdida y desconcertada.

—¿Puedo ayudarle, señor? —le preguntó ella.

—Estoy buscando algo para mi esposa. Un regalo de aniversario.

—Tengo una amplia gama de perfumes. ¿Desea verlos?

Lilah aprovechó el momento para irse. Se volvió a poner el chal y se dirigió hacia la puerta pavoneándose. Al pasar por delante de aquel hombre nervioso, barrigón y calvo, susurró:

—Olvídese de los botes de perfume sofisticado. Si quiere algo que no coja polvo, échele un vistazo al liguero rojo de satén.

—... al carnaval el sábado por la noche.

Las últimas palabras del interminable monólogo de Matt se solaparon con el dolor de cabeza de Elizabeth y la revisión mental de su encuentro con Adam Cavanaugh. El tenedor con el que había estado comiendo mecánicamente se detuvo entre su pastel de carne y su boca.

—¿Carnaval?

—El Festival de Otoño del cole, mamá —le explicó Megan con paciencia. Su hija era casi como John, que siempre había reparado en los detalles. Siempre organizado, puntual y sensato. Mientras que Elizabeth era indefectiblemente distraída, su hija nunca se olvidaba de nada.

—Oh, claro. El Festival de Otoño. —Se acordaba de haber pegado una nota en la puerta de la nevera hacía una semana o así. Al mirarla ahora, vio que la circular fotocopiada había ido a parar debajo de un dibujo en plastidecor de una sonriente calabaza ahuecada y siete fantasmas—. ¿Es este sábado por la noche?

—De siete a nueve y media —puntualizó Megan—. Y queremos quedarnos todo el tiempo, ¿verdad, Matt?

—Sí. La rifa para el compact disc no es hasta las nueve y cuarto, así que no podemos irnos antes de entonces. Eso ha dicho Thad también.

—¿Thad? ¿Y qué tiene que ver Thad con todo esto?

—Le he invitado para que venga con nosotros.

Elizabeth dejó caer el tenedor contra el plato.

—No lo has hecho realmente, ¿verdad? —le preguntó a su hijo en cuanto recuperó el habla.

Matt la miró con recelo, asintiendo con la cabeza.

—Esta tarde.

—¿Y qué dijo? —No se atrevía a escuchar su respuesta.

—Que claro que sí.

Elizabeth se mordió el labio para no decir en voz alta las palabras soeces que se le venían a la mente.

—¿Cómo has podido hacer eso, Matt, sin consultarme a mí primero? No puedo creerme que hayas hecho nada igual.

—Ella me dijo que podía.

—¿Quién te dijo que podías?

—Mi profesora, la señora Banchard. Se supone que tenemos que ir con papá y con mamá. Todos los demás niños tienen mamá y papá. Como yo no tengo papá, le pregunté si podía invitar a alguien más y me dijo que sí. —Matt se puso de morros y le empezó a temblar el labio inferior—. Sin embargo, no dejas que Thad venga con nosotros. No nos dejas hacer nada divertido. ¡Eres mala! ¡Eres la mamá más mala del mundo!

Entre lágrimas, el niño echó a correr desde la mesa, derramando por el suelo su vaso de leche. Elizabeth le dejó que se fuera y dejó caer la cabeza sobre las manos. Se quedó mirando desalentada cómo la leche derramada sobre la mesa traspasaba el borde y se caía sobre las baldosas del suelo. Y aun así no se movió.

Había sido difícil para Matt al empezar la guardería y darse cuenta de que la mayor parte de los niños tenían padre, aunque estuviera divorciado de la madre y viviera en casas separadas. Matt no era más que un pitufo cuando asesinaron a John, así que no se acordaba de qué era tener un padre. Elizabeth había dedicado horas a explicarle la muerte de John. Pero para un niño de cinco años la muerte de un padre era un concepto difícil de entender y más aún de aceptar.

—Mamá, la leche se está derramando por todo el suelo. ¿Quieres que la limpie?

Elizabeth levantó la cabeza y acarició la melena lisa y rubia de Megan.

—No, cariño. Ya lo hago yo. Pero gracias por ofrecerte.

—Ya le había dicho yo a Matt que quizá fuera mejor preguntarte a ti primero.

—Ya hablaré con él cuando esté más calmado.

—¿Vas a dejar que Thad venga con nosotros?

El tono nostálgico de su hija le llamó especialmente la atención. Todas las niñas necesitan un papá y Megan echaba de menos tener uno.

—Por supuesto que puede venir —se sorprendió a sí misma diciendo, mientras forzaba una sonrisa.

Después de limpiar los platos, fue en busca de su hijo y se lo encontró tumbado encima de la cama, con el osito de peluche bajo el brazo. Las lágrimas le habían dejado resecas marcas saladas sobre la mejilla. Elizabeth se sentó al borde de la cama y se reclinó hacia delante para besarle en la frente.

—Siento haberte gritado. —Él ni se inmutó. Se limitó a contener los sollozos—. Es que me chocó, eso es todo. —Elizabeth le explicó con calma por qué debería haberlo consultado con ella antes de invitarle—. Pero, bueno, por esta vez ya está.

Los ojos nublados del niño se despejaron de golpe.

—¿Puede venir?

—Si quiere, sí.

—¡Jo, sería estupendo!

Sí, estupendo, pensó Elizabeth. Cuando los niños se hubieron ido en la cama, pensó que probablemente a Thad le haría tanta gracia asistir a una fiesta de carnaval en un colegio como a ella que él viniese. Quizá había aceptado la invitación por compasión hacia sus hijos, huérfanos de padre. ¿No debería quizá darle la oportunidad de retirarse de este enredo?

Se quitó el delantal y se repasó los labios antes de atravesar los oscuros jardines que separaban sus casas. Él estaba sentado en una poltrona en su porche trasero. Durante el fin de semana, había cubierto de vidrio las mosquiteras para aclimatar el porche. A la luz del televisor, podía ver una bandeja con los restos de la cena. Un filete y una cerveza.

No estaba mirando la televisión, sino leyendo una revista. Elizabeth se preguntó si se trataría de una revista de hombres con fotos de mujeres desnudas. En ese caso, aquel no era el mejor momento de llamar a su puerta. Sin embargo, ya había hecho todo el camino y quería quitarse aquello de en medio tan pronto como fuera posible, así que más le valía dejar a un lado sus miedos. No se dio cuenta de que había llegado hasta que llamó a la puerta. Volvió la cabeza y sus ojos se posaron sobre ella como láser.

Abandonó la poltrona y apagó la televisión antes de abrir la puerta. Había dejado a un lado su revista sobre el asiento de la silla. Elizabeth no tuvo oportunidad de ver la portada.

—Hola —dijo ella, visiblemente incómoda.

—Hola. Entra

—No, sólo, uh, sólo puedo quedarme un minuto. He dejado a los niños durmiendo. —No tenía intención de entrar en su casa a solas. ¿Y si la vieran los demás vecinos? Conociendo la naturaleza humana, seguro que se harían una idea equivocada. Los cotilleos se iban a extender tan rápido como el fuego.

Él atravesó el umbral de la puerta y la cerró tras él.

—¿Hay algún problema?

—No, bueno, o sea, espero que no. —No tenía ningún sentido y sabía que él debía pensar que era una perfecta idiota. Que ella recordase, nunca había dicho nada coherente delante de este hombre. No había ninguna razón para que se pusiera tan nerviosa. Era sólo un hombre, por el amor de Dios… pero vaya uno.

—Matt me ha dicho que te ha invitado al Festival de Otoño de su colegio —dijo acelerada, casi sin aliento.

—Sí, es cierto.

—¿Vas a ir?

—Le dije que iría.

—Ya lo sé. Eso me ha dicho. Sin embargo, no quiero que te sientas obligado a ir sólo porque te lo haya pedido.

Él se la quedó mirando.

—No quieres que vaya, ¿es eso?

—¡No! O sea, sí. Quiero decir… —Elizabeth respiró hondo—. Yo no tengo ningún problema, si tú quieres asistir a algo tan… Se trata de un carnaval de párvulos. Habrá miles de niños corriendo de un lado al otro como cafres y padres histéricos persiguiéndolos. Habrá mucho ruido y caos y… y… —Hizo un gesto de impotencia—. No es algo que vayas a encontrar divertido.

—Porque soy un solterón redomado.

«¡Maldita sea! Ahora le he insultado», pensó ella, mientras él le volvía la espalda y se dirigía hacia su jeep, que tenía aparcado a la entrada de su casa.

—No es eso, se… O sea, Thad. Sólo quería darte la oportunidad de echarte atrás si querías. Yo podría arreglarlo con Matt y te ahorraría el tener que decírselo.

Acababa de desmontar la puerta trasera del jeep y ahora estaba sacando una aparatosa caja de su interior. La subió a los hombros y volvió sobre sus propios pasos hasta el jardín de atrás. Sin saber muy bien qué hacer, ella se dedicó a seguirle los pasos. Thad dejó la caja sobre el suelo.

—Nunca he tenido hijos, pero no soy tan viejo como

para no acordarme de cuando era niño, Elizabeth. —Al oírle decir su nombre, sintió un cosquilleo en su interior. Era como si la hubiese tocado sobre el vientre con los dedos.

—No quería decir eso…

—Incluso recuerdo unos cuantos carnavales del colegio y cómo me ponía contento cuando llegaban. Tenía la suerte de que mi madre y *también* mi padre venían conmigo.

Elizabeth se apoyó contra el árbol más cercano y lanzó un suspiro.

—Me haces sentir tan culpable como Matt. Le regañé cuando me dijo que te había invitado. Me sentía avergonzada. No quería que te sintieses obligado. Me dijo que era la mamá más mala del mundo.

Thad se echó a reír.

—No creo que seas tan mala. Y no me siento obligado a ir al festival. De hecho, creo que me voy a divertir mucho. Y no quiero que te sientas culpable, ¿vale? Ahora vamos a dejar de pedir perdón. De hecho, me gustaría que aparcásemos ya el tema. ¿Qué te parece?

Thad se arrodilló y empujó hacia delante la caja de cartón. Elizabeth se puso de rodillas a su lado y se fijó en la fotografía del lateral de la caja.

—¡Una hamaca! Qué bueno.

—¿Te lo parece?

—Sí. Siempre he querido una. Una exactamente como esta. —A juzgar por el dibujo de la caja, la hamaca estaba hecha de un tejido blanco de yute. Tenía flecos a los lados.

—Yo también siempre he querido una. He pensado que voy a colgarla entre estos dos árboles. —Se los señaló con el dedo.

—Oh, sí. Y en verano, sería fantástico… —Elizabeth interrumpió la frase abruptamente.

—¿El qué? —preguntó él en silencio, mirándola a la cara. Como ella se negaba a contestarle, él añadió—: ¿Para tumbarse?

—Para eso son las hamacas, ¿no?

—Ah-ha. Pues cuando quieras tumbarte en mi hamaca, ya sabes.

—Gracias.

—Pero después seguro que no vienes, ¿o sí?

Ella le echó rápidamente una mirada, sorprendida ante su perspicacia.

—Probablemente no.

—¿Por qué no?

—No querría aprovecharme de tu generosidad.

Él sacudió la cabeza.

—No. Eso no es el problema. No quieres tumbarte en mi hamaca porque los otros vecinos podrían ponerse a cotillear sobre nosotros. Podrían pensar que también te acuestas en mi cama.

Elizabeth sintió como si se le hinchase el estómago cual globo de helio, ingrávido y volante, sin rumbo fijo.

—No les he dado ninguna razón en absoluto a los vecinos para que tengan de qué hablar.

—Y estás asegurándote de que esa situación no cambie.

—¿Y me culpas por ello?

—¿Culparte? —Thad frunció el ceño—. Yo no usaría precisamente la palabra culpa. Es sólo que me parece estúpido que, por ejemplo, cambies de ruta sólo para evitar cruzarte en mi camino.

Cómo a Elizabeth no se le ocurría ninguna respuesta, prefirió no decir nada. La tenía entre la espada y la pared, así que era absurdo ponerse a refutarle lo que acababa de decir.

—Entiendo por qué llegas a esos extremos —dijo él suavemente—. Tienes que proteger tu reputación. La gente te está mirando para ver si resbalas, si te conviertes en una madre irresponsable, si haces algo escandaloso.

—Es casi un cliché, pero es lo que se espera de las jóvenes viudas…

—Hambrientas de sexo —osó a decir él, con gran atrevimiento—. Y yo soy un soltero que vive solo. Eso ya de por sí, me convierte en carne de cañón. Así que si entraras en mi casa para algo tan inocente como para pedir prestada una taza de azúcar, dirían en los mentideros que hemos echado un polvo rápido sobre la mesa de la cocina. —Thad se echó a reír—. Los polvos rápidos también tienen sus satisfacciones, pero personalmente nunca me han entusiasmado. Son como precipitarse al beber una botella de vino excelente. No te lo bebes porque tienes sed. Te lo bebes por el placer que te proporciona su sabor. —Sus ojos azules se detuvieron a contemplar la boca de Elizabeth—. Hay cosas que merece más la pena saborear lentamente.

Elizabeth se quedó sin palabras, no sólo porque su garganta se resecó, sino además porque tampoco habría sido capaz de pensar en nada decente que decir. De todas maneras, su corazón estaba haciendo suficiente ruido como para compensar su silencio. No le extrañaba nada que él pudiera oírlo latir contra sus costillas.

—Estás tiritando. —Thad le puso la mano en el brazo. Tenía la piel de gallina.

—Tengo frío. Debería haberme traído un jersey.

—Venga, te acompaño a la puerta.

—No es necesario.

—Para mí, lo es.

Tuvieron un momento de terca confrontación, pero Elizabeth finalmente cedió. Se había dejado encendida la luz en la cocina y, mientras caminaban en la oscuridad de los jardines, le sorprendió ver la cantidad de cosas que se podían ver a través de las ventanas desde la calle. Elizabeth casi nunca pensaba en cerrar las persianas porque le gustaba que el sol entrara durante el día.

¿Podía ver Thad su casa desde su porche trasero? Tendría que acordarse de no entrar en la cocina por la noche medio desnuda, sino a su vecino no iban a hacerle falta sus revistas de chicas para aliviarse.

—¿Te he dado las gracias por haber podado mi lado del seto? —le preguntó ella al acordarse de que estaba en deuda con él.

—¿Te has dado cuenta?

—Sí, gracias. ¿Cómo están los cachorros?

—Están bien. Creciendo.

—Bien. —Caminando, habían llegado ya a la puerta trasera. Gracias a Dios, podían dar por terminada aquella ridícula conversación.

—¿A qué hora quedamos el sábado? —preguntó él.

—Creo que los niños han dicho que a las siete. Si estás seguro de querer ir.

—Estoy seguro. Ya os paso a recoger.

Elizabeth se disponía a objetar, cuando su expresión determinada la detuvo en el empeño.

—Vale. Me parece fantástico, Thad. En fin, buenas noches.

—Elizabeth. —Él la detuvo, cogiéndola de la mano antes de que pudiera escudarse tras la mosquitera de la puerta.

—¿Sí?

—¿Se te ha cicatrizado la herida? —Thad le pasó el dedo pulgar por encima de las palmas de las manos. Su caricia era suave, aunque bien podría ser descrita como eléctrica, a juzgar por las descargas energéticas que emanaban de su brazo.

—¿Mis manos? Sí. Han cicatrizado. Del todo.

Como si dudara de su palabra, Thad le cogió la mano y la observó de cerca. Aún la estaba mirando cuando dijo:

—Si alguna vez me necesitas, por alguna razón, llámame. Al cuerno lo que piensen los vecinos.

Cuando volvió a levantar los ojos para mirarla fijamente a la cara, ella se quedó sin aliento. Antes de que tuviera tiempo de recuperar el habla para hacer algún comentario o dar las buenas noches, él le había soltado la mano y había desaparecido en la oscuridad.

Capítulo 4

Un extraño salió de entre la oscuridad. Era como si hubiese salido de la nada. Se materializó delante de mí. Era alto, de espalda ancha, cintura estrecha, torso bien esculpido y tremendamente musculoso.

No pude ver su cara con claridad, pero le reconocí al instante. Sus facciones no se distinguían bien, pero le reconocí. Y al reconocerle, su repentina aparición no me dio miedo. Al contrario, me parecía excitante. Emocionante, sin duda. Y sobre todo, prohibida. Pero no me dio miedo.

Él no dijo nada. Yo tampoco. Las palabras eran superfluas. Los dos sabíamos lo que el otro deseaba, lo que esperaba. En la oscuridad podríamos dar y recibir desinhibidos. El placer era un deseo común a ambos. Las diferencias de personalidad pueden ser minimizadas por las necesidades más primarias. No importaba ni el pasado, ni el futuro. Sólo el presente. Un presente de olor carnal que debe ser asumido, afrontado y saciado para nuestra satisfacción mutua.

Él extendió su mano y me acarició el pelo. Lentamente, me quitó el único prendedor que lo sujetaba como por arte de magia. Mi pelo se deslizó exuberante entre sus dedos. Yo sabía que esto le proporcionaba placer, que le encantaba sentir mi pelo entre sus manos. Aunque todavía no podía distinguir su cara, lo sabía sonriendo mientras deslizaba sus dedos entre mis mechones de pelo.

Coloqué mis manos sobre su pecho. Para mi sorpresa, no sentí ningún pudor. En este reino de terciopelo oscuro, la timidez no existía. El atrevimiento era bienvenido e, incluso, deseado. Nadie iba a verlo. Nadie iba a saberlo. La oscuridad era una entidad amistosa. Cubría cualquier indiscreción y hacía que todo fuera aceptable. Aquí nadie era llamado a responder por sus actos. No había normas de comportamiento, ni deberes que no fueran los de satisfacer nuestros deseos más recónditos.

Las pronunciadas curvas musculosas de su pecho rellenaron las palmas de mis manos. Apreté mis dedos contra su carne firme que apenas cedía a la presión. Llevaba puesta una camisa, pero bastó un poco de imaginación por mi parte para quitársela y dejar su pecho desnudo al instante.

Con gran curiosidad, le acaricié con los dedos sobre el vello del pecho. Las yemas de mis dedos fueron sensibles a cada matiz de textura y forma. Sus pezones estaban duros y firmes, como si fueran de piedra. Me eché hacia delante y le humedecí uno de ellos con la punta de la lengua. Él dio un gemido de placer.

Cogió mi cara entre sus manos y la levantó ligeramente. Me acarició los labios húmedos con sus pulgares. Abriéndolos, introdujo las yemas de los dedos para frotarlas sobre mis dientes. Le mordí ligeramente, apretando los dedos juguetona contra su piel.

Él deslizó sus manos por mi cuello y después por mi pecho hasta mis senos. Cogiéndolos con sus manos, los masajeó suavemente, frotando los pezones con sus dedos hasta que estuvieron erectos.

Nuestros labios se fundieron en un beso feroz. Nuestras bocas se fusionaron. Su lengua se unió a la mía. La pasión echó a arder. Bruscamente me apoyó contra una pared que ni siquiera había notado que estaba. Apenas podía contener aquel apetito salvaje que se había apoderado de él. Lo encontré excitante y, como respuesta, me puse a temblar.

Entonces, me besó en el cuello. Su boca caliente rodeó mi pezón.

Sus ardientes devaneos consiguieron arrancarme de los labios un gemido involuntario. Instintivamente, supe que tenía los ojos cerrados, que estaba dándose el lujo de satisfacer un deseo inenarrable. Sentí el deseo de poder darle leche y, al decir esas palabras en alto, se sintió profundamente trastornado.

Sus manos se contrajeron en una amorosa caricia a la altura de mi cintura antes de continuar su recorrido por las caderas. Sólo tenía que pedirlo y mi más añorado deseo sería satisfecho. Eso yo lo sabía. Pero no dije nada. Quería prolongar la deliciosa agonía del deseo ininterrumpido. Además, sobraban las palabras. Generosamente, él se anticipó a mis deseos. Sólo tenía que pensar en lo que deseaba y él lo haría.

Sabía precisamente cuándo y cómo penetrarme. La entrada fue limpia, rápida, segura. Rellenó mi cuerpo deseoso con su férreo calor. Casi me hizo perder el conocimiento. Tenía las manos por todas partes, apretadas contra mi piel. Su boca estaba también por todas partes, abierta y caliente.

No parecía tener ningún tipo de disciplina. Ni de conciencia. Había nacido para dar placer. Nacido para el deseo sexual, amamantado para la lujuria, no sabía hacer otra cosa que darme dicha y satisfacción. La furia de mi orgasmo estaba más allá de cualquier otra cosa que hubiera experimentado antes. Ni siquiera sabía que algo tan intenso fuera posible.

Totalmente exhausta, húmeda de mi propio sudor, del suyo, me sujeté a él con las pocas fuerzas que me quedaban. Con ternura y cariño, él acarició mi pelo, levantándolo de mis hombros húmedos. Al final, con sus facciones aún ocultas por la oscuridad indulgente y redentora, me abandonó y volvió a la nada, de la que había salido.

Nunca había llegado a ver la cara de mi inverosímil amante. Tampoco había oído nunca su voz. Sin embargo, lo reconocería sin duda, si volviera a mí de nuevo.

El incesante zumbido dentro de su cabeza no cesó al desaparecer su amante sin rostro. Se quedó latente en sus venas como un calmante mucho después de que se haya desvanecido el dolor.

Adormecida y desorientada, Elizabeth se despertó y abrió los ojos. Dios, qué agotada se sentía. Sus cuatro extremidades le pesaban a más no poder. Sus labios dibujaron una sonrisa complaciente. No era capaz de reunir ni un ápice de energía. La lasitud la tenía anclada a la cama, incapaz de moverse. Tenía la piel cubierta de sudor. Llevaba el camisón enredado y se le pegaba al cuerpo. Un calor provocador la acuciaba en la entrepierna. Se había concentrado allí, procedente de todo el sistema. Tenía los pezones duros. Sentía en ellos un cosquilleo.

De repente, abrió y cerró los ojos y se dio cuenta de que el zumbido de su cabeza no era la secuela de su increíble experiencia erótica. Se trataba más bien del ruido de una sierra mecánica procedente de algún lugar en el vecindario. No había amantes, misteriosos o no. Estaba tumbada a solas en su casto lecho. No estaba a oscuras. Los rayos de sol se abrían paso entre las persianas.

Era sábado. Ese mismo día más tarde, tenía una cita con Thad Randolph.

Mientras lanzaba un suspiro aterrador, apoyó los pies en el suelo y se sentó al borde de la cama. El reloj de su mesita de noche marcaba las nueve pasadas. Estiró la mano para coger la bata que tenía tirada al otro extremo de la cama y se la puso para cubrirse los pechos y ocultar que aún tenía los pezones tiesos y sonrojados. Se enderezó, intentando ponerse de pie, pero le temblaban las piernas.

—A Lilah le hubiese encantado este sueño —murmuró

mientras entraba en el baño. ¡Hablando de fantasías! ¡Dios mío! Aquel encuentro sin nombre, sin voz, libre de culpa no podía ser más erótico. Era la fantasía sexual más secreta de cualquier mujer, porque todo estaba permitido. No había consecuencias con las que lidiar más tarde.

Una enferma, eso es lo que era. Si las autoridades supieran la última fantasía que se le acababa de pasar por la cabeza, probablemente le quitarían la custodia de los niños.

Después de una ducha bien fría, se reunió con sus hijos en la cocina. Cada uno estaba comiendo un bol de cereales edulcorados. Había arrojado la toalla hacía años en la batalla entre el azúcar y las fibras naturales. Había decidido que la victoria final no valía la pena si implicaba una lucha cada mañana. Besó y abrazó a los niños a cambio de encender la cafetera.

—Esta es la noche del carnaval, mamá —le recordó Matt con la boca llena y los dientes embadurnados de pastel.

—De acuerdo.

Intentó decirlo con entusiasmo. Durante toda la semana, había evitado pensar en aquella noche de sábado, como si pensar en ello fuera a añadir un significado especial al asunto.

No había vuelto a ver a Thad desde que la había acompañado a la puerta de su casa el lunes por la noche. Los niños le habían ido dando sus informes diarios sobre la evolución de los cachorros de Penny, pero ella no había solicitado ninguna información sobre Thad. Se sentía casi aliviada de que hubiera llegado el temido día finalmente. A esa misma hora un día más tarde, todo habría terminado.

—No vuelvas tarde a casa. Thad ha dicho que vendría a recogernos a eso de las siete —dijo Megan.

—Te prometo que no llegaré tarde —dijo Elizabeth con cierto tono arisco. Entonces, suavizó el tono y dijo—: Llegaré aquí con tiempo suficiente como para cambiarme. Tú asegúrate de haber hecho todos tus deberes. Voy a dejar una lista para la señora Alder.

Generalmente, los sábados las horas se le pasaban volando en Fantasía. Se sentía culpable de que sus hijos, al no tener colegio, se pasaran la mayor parte del fin de semana en casa sin ella. Sin embargo, este sábado, el tiempo volaba. No podía ralentizar la rápida marcha de las horas por mucho que intentara entretenerse en las muchas tareas insignificantes en las que solía ocuparse. Le dieron las cinco. Alzó la vista y se fue a casa.

Los niños estaban tan sobreexcitados que casi la tiran al suelo cuando entró por la puerta.

—Ha llamado Thad y ha dicho que estaría aquí a eso de las siete menos cuarto. Date prisa, mamá.

—Megan, falta una hora y media. Estaré lista. Te lo prometo.

Pero, por supuesto, no lo estaba.

Baby vomitó algo parecido a queso con pimiento en el sofá del salón. Tuvo que limpiarlo inmediatamente. Matt y Megan se pusieron a pelearse por el mando de la tele. La pelea acabó con Matt empotrando la cabeza contra una de las esquinas de la mesa lo suficiente fuerte como para hacerle herida. Le empezó a sangrar la cabeza y manchó la moqueta. También tuvo que limpiar lo uno y lo otro.

Elizabeth se rompió una uña con el cajón de la cómoda. Al intentar repararlo, se le pegaron dos dedos con pegamento extra fuerte. Cuando se puso a maquillarse los ojos, iba tan acelerada y estaba tan nerviosa que no le quedó bien. No era capaz de decidir qué ponerse. De manera que se encontraba a pies descalzos y en bragas cuando Matt entró en la habitación a las siete menos cuarto para ver si estaba lista.

—¡Oh, mamá! —protestó al ver que no lo estaba.

Ella se quedó tan sorprendida como él. Iba vestido como un zarrapastroso.

—Matthew estos pantalones tienen agujeros en las rodillas. Vete a ponerte los nuevos.

—Están demasiado rígidos y rascan.

—No lo están. Los he lavado ya dos veces. —De pie ante la puerta del armario, se preguntó si debería ponerse la falda azul o los pantalones que acababa de recoger de la lavandería.

—Quiero ponerme estos pantalones. Son guays.

Mejor la falda azul.

—Ponte los nuevos, te lo pido por favor. Y esa sudadera es casi de mi talla. Vete a cambiarte inmediatamente. Ponte el polo verde.

—Es rancio.

—No voy a permitir que te vean...

Sonó el timbre de la puerta.

—¡Ahí está! —gritó Matt.

—¡Vuelve aquí! —gritó Elizabeth. Sin embargo, ya podía oír a su hijo precipitarse escaleras abajo intentando llegar antes que su hermana a la puerta delantera.

—¡Ya abro yo!

—¡Ya abro yo!

Elizabeth no llegó a discernir quién de los dos había llegado primero a la puerta. La siguiente voz que oyó fue la de Thad.

—Hola. Ya veo que estáis preparados y listos para salir.

—Pues sí —dijo Megan.

—Pero mamá no lo está —oyó que decía Matt por encima—. Siempre llega tarde porque se queda tumbada en la bañera hasta que se van todas las burbujas. Se está vistiendo. A veces, eso también le lleva mucho rato.

—Bueno, tampoco tenemos tanta prisa, ¿verdad? ¿Por qué no la esperamos en el salón?

En el piso de arriba, Elizabeth se cruzó por casualidad con su propio reflejo en el espejo de pie que tenía en una esquina de su habitación. Tenía una oreja contra la puerta como si no quisiera perderse ni una sola palabra y llevaba la falda agarrada contra su pecho.

No podía perdonarse a sí misma por parecer ridícula y comportarse como tal, incluso ante sus propios ojos. Se puso la falda y un suave jersey blanco de lana. Se recogió el pelo en una cola de caballo, se echó un poco de perfume y abandonó la habitación.

No quería que Thad Randolph se pensara que estaba acicalándose para él como una colegiala antes del baile de fin de curso. Bajó las escaleras con paso firme, pero se detuvo antes de entrar en el salón. Lo tenía de espaldas porque estaba escuchando a Matt que le explicaba los entresijos de un barco de batallas de Lego que estaba construyendo.

—Hola.

Al oír su voz, Thad se dio la vuelta sobre sus talones. Llevaba puestos unos vaqueros, una camisa de algodón y una chaqueta de terciopelo gris que le quedaba a conjunto con el pelo y los ojos. Iba a ser un acompañante impresionante. Ligeramente más que impresionante. Le sudaban las manos.

—Hola. Matt había dicho que estabas aún vistiéndote. —Thad le metió un repaso de arriba abajo y cuando llegó a la punta de sus botas de cuero color marfil, volvió de nuevo hacia arriba—. Espero que no te hayamos metido demasiada prisa.

—No, ¿estamos listos? —Él asintió con la cabeza. Los niños cantaron al unísono que sí lo estaban.

Matt les hizo perder tiempo al poner en pie una discusión

sobre si debía o no llevar chaqueta. Elizabeth insistió en que sí lo hiciera, dado que muchas de las actividades del festival tenían lugar al aire libre. Además, una chaqueta camuflaría en cierta medida su elección de vestuario.

—Cuanto antes cojas tu chaqueta, antes podremos irnos —señaló Thad.

Matt subió a su habitación y volvió a bajar en un tiempo récord. Thad salió el primero, flanqueado por Matt y Megan. Elizabeth se unió a la cola tras cerrar la puerta con llave tras ellos. Le resultaba extraño estar sentada en el asiento delantero del jeep de Thad con él al volante y los niños en el asiento de atrás. Cualquiera que les viese pensaría que eran la típica familia americana al salir de casa. Sólo de pensarlo, Elizabeth se puso de los nervios.

Tanto que pegó un salto cuando Thad dijo:

—Estás muy guapa esta noche.

Se las había arreglado para soltar aquel piropo inesperado mientras los niños se enzarzaban en una conversación sin fin.

—Gracias. También tú. O sea, que estás guapo.

—Gracias.

Se sonrieron mutuamente desde sus asientos en la parte delantera del coche. Elizabeth se estremeció a causa de su penetrante mirada azul. De hecho, para ella fue de agradecer que Matt reclamase la atención de Thad.

El edificio de la escuela estaba a rebosar de actividad en su interior. El campus estaba lleno de niños sobreexcitados y de sus padres, que intentaban en vano contenerlos mientras ellos echaban a correr de un tenderete al otro, intentando demostrar sus destrezas en los diversos juegos.

Lo primero que había que hacer era comprar unos tiques que eran canjeables en cualquier chiringuito o puesto de venta. Elizabeth conocía a la mujer que los vendía. Era miembro de la asociación de padres de alumnos y no le quedaba otro remedio que presentársela a Thad. Aquella mujer estaba tan ávida de curiosidad que le dio el cambio mal dos veces antes de darle la cantidad justa.

—Deberías haberme dejado comprar a mí los tiques —le dijo Elizabeth mientras se alejaban del puesto de tiques. Intentaba estar al tanto de todas las miradas curiosas y de las habladurías.

—Acéptalo como mi contribución a la asociación de padres de alumnos —respondió él impasible—. ¿Adónde vamos primero, niños?

Los miedos de Elizabeth de que iba a pasarlo fatal eran infundados. Para su propio asombro, Thad se metió en el espíritu del festival. Le dio sus consejos a Megan en la tómbola y acabó ganando un bote de burbujas de jabón. Delante de la canasta de baloncesto, sujetó a Matt para que tuviera más oportunidades de marcar. Matt salió de allí con una bolsa de canicas en la mano y una sonrisa en los labios que hizo que a Elizabeth le diera un vuelco el corazón. Veía contenta la mirada orgullosa que su hijo lanzaba a los demás niños mientras se iba con Thad. Como no tenía un padre del que jactarse delante de los otros niños, se estaba aprovechando al máximo de la ayuda de Thad.

Se detuvieron en unos cuantos puestos más antes de que Elizabeth preguntara:

—¿Alguien tiene hambre? Las opciones son: espaguetis o perritos calientes —informó a sus convidados, excusándose.

—Perfecto. Me muero de hambre.

Se decantaron por los perritos calientes. Matt y Megan comieron los suyos de tres mordiscos.

—¿Podemos pintarnos la cara, mamá? —preguntó Megan tras dar el último sorbo a su refresco.

Matt estaba pegando saltos al lado de su silla.

—Sí, espero que me pongan la cara del diablo.

—¡Qué apropiado! —Elizabeth se echó a reír, pellizcándole la mejilla que llevaba embadurnada de mostaza.

—¿Podemos, mamá? Sólo cuesta seis tiques.

—Thad y yo no hemos comido todavía.

—Vais a tardar un montón —protestó Megan—. Y después os tiraréis una hora tomando el café.

—¿Y si les dejamos que vayan solos? —propuso Thad.

—¿Podemos, mamá? ¿Podemos?

—Quizá —matizó ella—. Sí que podéis si prometéis volver aquí de nuevo. Como os perdáis en medio de todo este gentío, nunca vamos a encontraros. E id siempre juntos —les gritó.

Cogieron los tiques que Thad les había dado y se abrieron paso entre la multitud de la cafetería hasta el pasillo abarrotado en el que se encontraba el chiringuito del maquillaje.

—Uf, vaya energía tienen —dijo Thad, mientras daba el primer mordisco a su perrito caliente.

Elizabeth sacudió la cabeza con remordimiento.

—Ya te lo advertí. Vas a estar agotado cuando llegues a casa esta noche.

—Me lo estoy pasando genial.

Lo más extraño de todo es que parecía que realmente se estuviera divirtiendo. Estaba interesado en la escuela como las madres de la asociación de padres de alumnos lo estaban en el acompañante de Elizabeth Burke. Como si estuvieran leyéndole la mente, dijo:

—Debo resultarles rarísimo, ¿verdad? ¿O acaso me estoy volviendo paranoico? ¿Me está mirando todo el mundo o es que la imaginación me está jugando una mala pasada?

Elizabeth sonrió y agachó la cabeza tímidamente.

—Están mirándonos. Todos saben que estoy soltera.

—¿Cuánto tiempo hace que estás soltera? ¿Cuándo falleció tu marido? —Elizabeth alzó la vista para mirarle sorprendida—. Es que uno de los vecinos me lo contó cuando me mudé al vecindario —dijo él en respuesta a una pregunta nunca formulada—. Yo no lo pregunté. La información fue voluntaria.

Como parecía tan sincero, ella no tuvo ningún inconveniente en compartir con él los detalles en torno a la muerte de su marido.

—John murió hace dos años. Fue un accidente de coche. Fue declarado muerto en el mismo lugar del siniestro.

—¿Estabais tú y los niños con él?

—No.

—Gracias a Dios.

—Todo ocurrió de camino al trabajo. Dos policías vinieron a casa aquella mañana y me pidieron que fuera con ellos al hospital. —Elizabeth volvió a colocar el perrito caliente a medio comer sobre la bandeja de papel—. Estaba cambiando el papel de las repisas en los armarios de la cocina. Nunca me olvidaré. Cuando llegué a casa aquella tarde, todos los platos seguían encima de la mesa y las puertas de los armarios estaban aún abiertas. Por un momento, no conseguía recordar el porqué.

—Fue una muerte tan repentina. Debió ser muy duro para ti.

—Fue como si me quitasen el mundo de debajo de los pies. —Elizabeth intentó alejar sabiamente aquel estado de ánimo a media asta y le miró a la cara—. ¿Alguna vez has perdido a alguien cercano?

—No. No de ese modo —dijo él sin más—. ¿Te gustaría un poco de café?

—Por favor.

Thad abandonó la mesa y se dirigió al puesto que servía bebidas. Elizabeth se lo quedó mirando mientras se abría paso entre la multitud. Sí que había perdido a alguien, pero no por causa de una muerte. ¿A quién? ¿Cómo? ¿Había sido rechazado por alguien que amaba?

Las cabezas se volvían a su paso, los ojos le seguían. Capturaba la atención de casi todas las mujeres que encontraba en su camino. ¿Qué mujer no iba a sentirse atraída por él? Físicamente, tenía un atractivo de chico duro, curtido. Pero su personalidad era incongruente con su físico. Era sensible y bien hablado. No intentaba hacer alardes de testosterona a cada momento. Su masculinidad era patente por sí misma.

Elizabeth nunca había visto a ninguna mujer entrar en su casa, pero era evidente que no vivía como un monje. Había perfeccionado un método para ser sexy y cortés al mismo tiempo. Sabía cómo tratar a una mujer como una señorita. Y sabía cómo tratar a una señorita como una mujer.

No era el típico pulpo con tentáculos demasiado largos, pero tampoco le daba vergüenza cogerla del brazo para guiarla entre la multitud. Varias veces había sentido su mano sobre la espalda, dándole un empujoncito hacia delante. Estos toques corteses no dejaban de proporcionarle ciertas dosis de emoción.

No, delante de una mujer, no tenía un pelo de torpe. Entonces, ¿por qué estaba soltero? ¿Había tenido un matrimonio fallido y un divorcio difícil que le habían hecho desterrar la idea del matrimonio para siempre? ¿Acaso la pensión que le tuviera que pasar a los hijos del anterior matrimonio hacían que un segundo matrimonio no fuese económicamente viable? ¿O simplemente se dedicaba a disfrutar de la libertad sexual de la vida de un soltero? ¿Por qué no había visto a ninguna mujer entrar en su casa?

Puso el café en vaso de plástico delante de ella.

—¿Quieres leche y azúcar?

—Azúcar. —Thad le pasó el paquete de azúcar que, precavido, había traído consigo a la mesa. Ausente, ella abrió el paquete y revolvió el azúcar en el vaso con una cucharilla de plástico—. ¿Has estado casado, Thad?

—No. —Le dio un trago al café, mientras la miraba a través del humo que despedía la taza.

—Oh —Elizabeth se habría esperado una respuesta más elaborada, pero parece ser que su vida privada estaba bien protegida bajo llave.

—Soy heterosexual, si es eso lo que estás pensando.

Elizabeth se quemó la lengua con el café. Avergonzada, el rubor le subió visiblemente por la cara y por el cuello.

—No estaba pensando eso.

—Seguro que sí.

Elizabeth se derrumbó ante su mirada burlona.

—Bueno quizá sí que lo estaba pensando. Con el subconsciente.

—No me ofendo. Por desgracia, si hubiera intentado hacer gala de mi heterosexualidad, probablemente te habrías ofendido. —Cuando se volvía peleón, se le ponían los ojos de un azul más intenso—. Aunque estaría más que encantado de demostrártelo en cualquier momento.

La anterior vez que se había ruborizado no era nada en comparación con la actual.

—Te creo. —Elizabeth carraspeó para aclararse la garganta—. Es sólo que los hombres de tu edad generalmente han estado ya casados al menos una vez.

—Los hombres de mi edad generalmente han hecho de todo al menos una vez —dijo él, tomándole el pelo una vez más. Thad sonrió como ella, agachó la cabeza y se quedó mirando fijamente su taza de café—. He tenido varias oportunidades de casarme. Tuve unas cuantas relaciones serias que bien podían haber terminado en matrimonio, supongo, pero ninguna de ellas llegó a cuajar antes de que alguno de los dos perdiera el interés. —Thad levantó la cabeza y preguntó—: ¿Y tú por qué no te has casado de nuevo?

Elizabeth tenía la mente en las «relaciones serias» que él hubiera podido tener. De manera que le llevó un momento asimilar la pregunta que él le acababa de hacer.

—Estaba muy enamorada de John. Nos iba muy bien el matrimonio. Durante mucho tiempo después de su muerte, tuve un vacío emocional. Después me puse con Fantasía. Ya te puedes imaginar lo mucho que cuesta sacar adelante un negocio por tu cuenta. Los problemas se multiplican por cuatro si además eres viuda y tienes hijos. Tenía que hacer el rol del padre y de la madre para ellos. Todo esto no te deja mucho tiempo ni energía para tu vida personal. Y —dijo ella, respirando hondo— tampoco me he enamorado de ninguna otra persona.

—Que a fin de cuentas es lo que hay, ¿no crees?

—¿Quieres decir que nunca has estado enamorado?

—He sentido deseo, quizá. He conocido a muchas mujeres y me ha gustado irme a la cama con ellas, pero no levantarme a su lado. —Incluso por encima del ruido de la multitud, Elizabeth pudo oír su reflexión—: Quizá sea ese el factor determinante. Sabré cuando estoy enamorado cuando esa sea la mujer con la que quiero levantarme cada mañana.

Por un momento, sus ojos se miraron fijamente. Fue la voz de Matt la que finalmente rompió el hechizo.

—Hey, mira, Thad.

El niño tenía la cara llena de pintura roja y negra, que contrastaba con su amplia sonrisa blanca. A Megan le habían caracterizado como un arlequín de porcelana con lágrimas saliendo de los ojos y un corazón rojo en la boca.

—Megan, ¡tienes un aspecto fantástico! —exclamó Thad—. Pero lo de Matt es el demonio en persona.

Al niño le entró un ataque de risa y se acurrucó contra el pecho de Thad. Cuando terminó de reírse, Megan le preguntó:

—¿Habéis terminado de tomar café?

Thad miró a Elizabeth y se encogió de hombros en señal de impotencia.

—Sí, hemos terminado —les respondió él a los niños impacientes. Thad ayudó a Elizabeth a levantarse de su silla. Acercó su cabeza a la de ella para que le oyera y dijo—: ¿Vamos a echar un vistazo a los eventos al aire libre?

—Supongo que sí. Aunque sólo sea para justificar que hayamos obligado a Matt a traer la chaqueta.

Entre risas, Thad le pasó un brazo por encima del hombro a Elizabeth y le dio un abrazo fugaz. Se trataba de un gesto amistoso, no seductor. No había ninguna razón para que su corazón dejara de latir. Ninguna en absoluto. Ningún hombre mencionaba las mujeres con las que se había ido a la cama delante de la mujer con la que quería acostarse. En todo caso, discutiría sus historias pasadas con un amigo, un compañero. Si aquella relación desembocase en algo, esa sería la dirección que iba a coger, la de la amistad. Entonces, serían amigos, no amantes.

Pero parece ser que Thad no estaba al tanto de eso.

—Ten cuidado —dijo él cuando Elizabeth tropezó con un bache del suelo en el patio de recreo. Thad entrelazó sus dedos con los de ella, uniendo sus manos. El brazo de Elizabeth quedó atrapado entre su brazo y su costado. El codo de Thad hizo presión a menos de un centímetro contra su pecho. De vez en cuando, y en opinión de Elizabeth accidentalmente, la parte de atrás de su brazo le acariciaba el pezón. Aunque su invariable respuesta echaba por tierra su teoría de la amistad.

—¿Podemos subirnos en el carromato, mamá?

—Claro. —Megan tenía la voz aflautada y chillona.

Los niños se subieron en el carromato tirado por un caballo. El conductor dijo:

—Lo siento, pero no me puedo responsabilizar de los niños al menos que uno de los padres vaya con ellos.

—No hay problema —dijo Thad—. Íbamos a subirnos también de todos modos.

Se subió al carromato y le tendió la mano a Elizabeth. Ella había perdido el control de la situación sin saber a ciencia cierta cómo ni cuándo había ocurrido. La gente que estaba ya sentada en el carromato y todos los que estaban a la cola tras ella la miraban con expectación. A ella le quedaban dos opciones: montar un numerito desagradable o coger a Thad de la mano y dejar que la ayudase a sentarse a su lado. Con la intención de coger el camino más corto, optó por la segunda opción.

Thad se aseguró de que Matt y Megan estuviesen bien sentados y seguros antes de encontrar un sitio para Elizabeth y para él. Ella se colocó bien la falda entre las piernas, con cuidado de no rozar sus muslos contra los de él.

—¿No es divertido, mamá? —le preguntó Megan, asomándose por encima de la cabeza de las demás personas que estaban sentadas entre ellos. Todos los ojos miraron a Elizabeth.

—Divertidísimo —respondió ella con una sonrisa forzada. Era consciente de que el brazo de Thad descansaba sobre el respaldo del carromato tras ella. Si se echaba hacia atrás, incluso una fracción de centímetro, sería como si él la estuviese cogiendo. Nunca había mantenido una postura tan rígida.

El hombre que llevaba el carromato intentaba aprovechar al máximo la capacidad del vagón.

—Apriétense, por favor, para que todo el mundo pueda entrar. Señora, si fuera usted tan amable de sentarse en el regazo de su marido, tendríamos más espacio.

Horrorizada, Elizabeth se dio cuenta de que estaba hablando con ella. Se quedó tan parada como un indio de madera. Todo el mundo en el vagón se dio la vuelta para comprobar quién era la aguafiestas que no se solidarizaba con el resto y tenía bloqueado el devenir de las cosas.

—¿Elizabeth?

Oyó la suave invitación de Thad acariciarle al oído, pero no le miró. Impotente y resignada, no opuso ninguna resistencia cuando él la subió a su regazo.

—Gracias. —El conductor del carromato cerró la puerta detrás de los pasajeros. Se dirigió a la parte delantera, se sentó y tomó las riendas. Atizando con ellas el trasero del caballo, les gritó a los pasajeros a sus espaldas—: Sujétense, amigos. Allá vamos.

El carromato salió hacia delante. Al estar sentada tan rígida y derecha, Elizabeth perdió el equilibrio. Aterrizó directamente sobre el pecho de Thad. Su trasero se deslizó hasta su entrepierna. Elizabeth le oyó soltar un suave gemido y se preguntó si era de placer o de dolor, sin estar segura de cuál de las dos posibilidades era la correcta.

—¿Has oído lo que dijo ese señor, mamá? —dijo Megan—. Se ha pensado que Thad es tu marido.

—Ya me gustaría a mí —dijo el pequeño demonio con la

cara pintada de rojo y negro—. Así tendría un papá de verdad en lugar de uno que vive en el cielo.

Refunfuñando, Elizabeth cerró los ojos y rezó porque en aquel momento fuera invisible. Dio gracias al alma caritativa que empezó una ronda de canciones de excursionistas y le quitó la atención de la multitud de encima.

Sintió la vibración de la risa silenciosa de Thad a través de su chaqueta de terciopelo gris.

—Recuérdame que mate a mis hijos más tarde —musitó ella—. Lo siento mucho, Thad.

—¿Por qué?

—Por ponerte en evidencia.

—Eres tú la que se siente avergonzada, no yo.

—Y por tener que sentarme en tu regazo. Espero que no te importe demasiado.

Thad se la quedó mirando a los ojos.

—Para nada. De hecho, mientras estemos aquí —añadió él con voz ronca mientras la rodeaba con los brazos—, más nos vale relajarnos y disfrutar de… uh… del viaje.

Había sido encantador. Sus maneras habían sido impecables. Podía haber sido un verdadero canalla sobre el hecho de tenerla que llevar encima durante todo el viaje. Podría haberse aprovechado de la situación y haberle metido mano en la oscuridad. Habría sido fácil, considerando que tenía las manos cruzadas justo por debajo de sus pechos durante todo el viaje. Pero no lo había hecho.

Había sido todo un caballero. ¿No le había ofrecido su chaqueta cuando había empezado a refrescar en la noche? Sí, lo había hecho. Era entonces cuando había sentido el calor de su aliento acariciándole el cuello. Era entonces cuando se había sentido tentada a relajar su rígida postura para que su cuello se flexibilizara y para apoyar su cabeza sobre su hombro. Sin embargo, no iba a ser ella la que adoptase una actitud romántica cuando él mantenía una distancia platónica. ¿Cómo iba a hacerlo?

Él había mantenido esa actitud cordial de caballero toda la noche. Se había compadecido de Megan y de Matt cuando sus números de la rifa para el reproductor de compact disc no resultaron ganadores. Le había dado las gracias en repetidas ocasiones por invitarle al Festival de Otoño. No les había dejado con el coche en la acera, sino que les había acompañado hasta la misma puerta de casa y había esperado hasta asegurarse de que estaban a salvo en el interior. Se había despedido con una sonrisa amable, sin rastro alguno de perversión, al darle las buenas noches en privado a Elizabeth. Una vez más, le había dado las gracias por la invitación.

Se había comportado de manera impecable durante todo el rato.

Entonces, maldita sea, ¿por qué estaba tan disgustada?

Ahora que estaba en casa de nuevo, sola en su dormitorio, en el piso de arriba, bajo la tenue luz de la lámpara y con las persianas cerradas, ¿por qué deseaba que hubiera hecho algo una pizca más tórrido?

Podía haberla acariciado en el cuello durante el viaje en carromato. Podía haberle pasado el dedo por debajo de sus pechos aunque sólo fuera para hacerle ver que notaba su presencia y que no estaban mal para una treintañera madre de dos criaturas.

Al ayudarla a bajarse del carromato, podría haberla sujetado contra él unos momentos. Al darle las buenas noches tras haber enviado a los niños a la cama, podría haberle dado un amistoso beso de despedida en la mejilla. Podía haber hecho «algo» un poco menos educado y más excitante.

No es que ella se esperase que surgiese una chispa de naturaleza romántica entre ellos dos. Su pasado la tenía intrigada. Estaba loca por saber qué tipo de mujer le atraía. Un hombre como él no se quedaba soltero por mucho tiempo. Era un caballero, pero no estaba muerto y cada vez que aquel carromato había encontrado un bache en el campo de fútbol y sus caderas se habían apretado contra su regazo... No, decididamente no estaba muerto.

Por el amor de Dios, estaba haciendo el ridículo. Irritada consigo misma, apagó la lámpara y se tapó hasta la mandíbula. Sentía una furia irracional contra él por ser tan comedido.

Capítulo 5

Aún estaba furiosa cuando condujo su coche hasta el mercado al día siguiente por la tarde. Como no tenía pensado irse muy lejos, ni tampoco por mucho tiempo, había dejado a Megan y a Matt solos en casa haciendo los deberes. Hacer la compra sin ellos era siempre más fácil que llevárselos con ella, porque entonces no paraban de atosigarla con que les comprara cosas que no necesitaban y que probablemente no se podían permitir.

Los pasillos del supermercado estaban casi desiertos porque se televisaba el partido de los Chicago Bears esa misma tarde. Encontró rápidamente todo lo que había apuntado en su lista de la compra y se disponía a ir hacia la caja cuando le vio entrar por la puerta. Si él no la hubiera visto al mismo tiempo, habría hecho lo posible por evitarlo.

En ese orden de cosas, Elizabeth le esbozó una insípida sonrisa, le saludó con la cabeza y dio una vuelta con el carro de trescientos sesenta grados en la dirección contraria. Convencida de habérselas arreglado para evitar un encuentro no deseado, se quedó helada al verle aparecer al final del siguiente pasillo. Se encontraron de cara.

—Hola.

—Hola, Thad.

—Vaya carro más lleno que llevas.

—Es para toda la semana. Intento hacer todas mis compras el fin de semana. Entre semana no doy abasto. Pero parece que siempre me olvido de algo. Casi siempre acabo comprando al menos una vez al día de todos modos. —Elizabeth dejó que aquella conversación tan inocua se cayera por su propio peso. Nerviosa, se dispuso a husmear de estantería en estantería—. Me pensaba que estarías viendo el partido como cualquier otro fan concienzudo.

Thad dibujó una sonrisa con los labios.

—Ahora es el descanso. He venido a por abastecimientos. —Sujetó en alto una bolsa de patatas y seis latas de cerveza.

—Ah, bueno. Entonces, no te entretengo más. —Elizabeth empujó su carro hacia delante.

—Si ya lo tienes todo, te puedo seguir con mi coche y así te ayudo a meter las compras en casa.

—¡No! —El ímpetu de su exclamación les cogió a los dos por sorpresa—. Quiero decir, que no tengo ninguna intención de que te pierdas el partido.

—Si no es problema, los Bears llevan veintiún puntos de ventaja. Es un rollo.

Antes de que pudiera detenerle, Thad metió sus patatas y su cerveza en el carro de ella, la empujó hacia un lado y tomó el control del carro cuan capitán de un barco velero apartando a su contramaestre del timón.

—De verdad, Thad, no es necesario…

—¿Cómo que no?

Thad se había metido por un lateral sin salida al final del pasillo y había chocado contra el carro de la tutora de la clase de Megan.

—Hola —dijo Elizabeth rápidamente.

—Te vi anoche en el festival. ¿Te lo pasaste bien? —Sus ojos estaban en un vaivén constante entre Thad y Elizabeth.

—Me lo pasé genial —respondió Thad, pues no cabía la menor duda de que la pregunta estaba dirigida a él.

—Qué bueno. Los niños pueden ser divertidísimos. —Nadie dijo nada durante varios segundos—. Bueno, nos vemos.

—Nos vemos. —Elizabeth sabía que iba a estar en boca de todos los miembros de la asociación de padres de alumnos que dirían que entre ella y su acompañante del Festival de Otoño había algo más que una simple amistad. Les habían visto haciendo la compra juntos la otra tarde. Eso implicaba... En fin, la gente tenía mucha imaginación.

Elizabeth esperó hasta que la mujer no pudiera oírles y entonces cogió las patatas y la cerveza del carro y se las devolvió a Thad.

—Me acabo de acordar de una cosa más que necesito coger. Gracias por ofrecerte a ayudarme a cargar con la compra, pero es mejor que te vayas a casa. Seguro que ya se ha terminado el descanso. Adiós.

Ya se había ido antes de que él tuviera tiempo de discutirle nada. Como la tutora se había dirigido hacia la sección de los lácteos, Elizabeth escogió la sección de productos en el extremo opuesto de la tienda. Se quedaría por allí hasta darle a Thad el tiempo suficiente como para irse.

—¿Qué te pasa?

Elizabeth dejó caer las naranjas que llevaba entre las manos y se dio la vuelta. Thad estaba a sólo unos centímetros de ella con una cesta de la compra en la mano a la altura de la cintura. Era la primera vez que lo veía de mal humor. Llevaba el ceño fruncido.

—No sé a qué te refieres.

—¿Por qué acabas de darme el clásico plantón?

—No te he dejado plantado.

—¿Ah no?

—No. Es que… me acordé de repente de que les había prometido a los niños una calabaza para vaciar y hacer con ella una lámpara. —Thad bajó la vista hasta encontrarse de bruces con la cesta de naranjas y descubrir, en consecuencia, su mentira—. Es que no me había dado tiempo a llegar aún a las calabazas —dijo ella a la defensiva.

Dejó las naranjas a un lado y empujó su carro hacia la estantería de las calabazas. Todavía faltaban un par de semanas para Halloween. Cualquier calabaza que se pusiera a vaciar ahora estaría llena de moho y más arrugada que un higo para entonces, pero tenía que dar verosimilitud a su mentira.

Examinó con sumo cuidado todas las calabazas en la estantería piramidal. Thad la observaba a ella exactamente con el mismo cuidado. Elizabeth se alegró de llevar puesta la vieja sudadera rosa. Vestida con tan poco glamour, de ningún modo tendría el aspecto de una viuda intentando ligarse al soltero de oro que tenía por vecino.

Él iba vestido de manera tan informal como ella, sin embargo aún se las arreglaba para estar atractivo con cierto aire tirado, de andar por casa un domingo por la tarde. Llevaba unos vaqueros que parecían blanqueados con lejía, zapatos sin calcetines y una sudadera tan vieja que el escudo universitario de la pechera se había vuelto indescifrable.

Parecía que acabase de salir de la cama y se hubiese puesto lo primero que había encontrado. Elizabeth era incapaz de comprender por qué esa idea le resultaba tan sugerente. Sólo que se imaginaba la escena... con ella tumbada en la cama, mientras él se ponía los vaqueros ajustados y se abrochaba la cremallera.

No quería fijarse demasiado en ningún detalle en concreto sobre él. Ni en el modo en que iba vestido, ni en su olor, ni en su atractivo peinado. Por muy irracional que pareciera, estaba molesta con él por no habérsele insinuado la noche anterior. Había tenido varias oportunidades de oro, pero las había dejado pasar todas. Por supuesto, ella le habría dado calabazas, pero al menos él podía haberlo intentado. ¿Acaso era tan indeseable? ¿Tan poco atractiva?

Se había levantado aquella mañana pensando de nuevo en aquel amante sin nombre de sus fantasías sexuales. Sólo que esta vez, el amante guardaba un desconcertante parecido físico con el hombre que la miraba ahora pensativo con aquellos llamativos ojos azules, como si estuviera intentando averiguar lo que pensaba.

—¿Ya has escogido una? —preguntó él.

—¿Cuál te gusta más?

—Me gustan las más rollizas.

—A mí también. ¿Qué te parece esta? —Elizabeth señaló la calabaza más gorda.

—Tiene buen aspecto.

—Enviaré al empleado de la caja para que me la recoja.

—Ya te la llevo yo.

—De verdad, Thad, no te molestes. Te estás perdiendo el partido de béisbol.

Se la quedó mirando fijamente por un momento antes de ceder.

—Vale. Quizá más tarde por la noche puedo pasarme y te ayudo a vaciarla.

—Ya me las arreglaré sola, pero gracias.

—A veces estas cosas pueden acarrear cierto peligro. Basta que se resbale el cuchillo...

—Soy perfectamente capaz de vaciar una calabaza de Halloween para mis hijos.

Sonaba del todo antipática. Él frunció el ceño en señal de que no le gustaba aquel detalle lo más mínimo. Ella se había imaginado que él no era de los que arrojaba la toalla tan fácilmente y estaba en lo cierto. Thad posó su bolsa de la compra sobre el stand de las manzanas y se reclinó hacia delante, dejando su cara a dos centímetros de la suya.

—De acuerdo, habrá que dejar pasar lo de vaciar la calabaza, habrá que dejar pasar lo de ayudarte con la compra. Hablemos de algo distinto. ¿Qué mosca te ha picado desde anoche?

Elizabeth se quedó boquiabierta y dio un paso atrás. Se quedó sorprendida de que fuera tan vulgarmente franco.

—No sé a qué te refieres —dijo ella, mintiendo.

—Sí ya. ¿Qué ha pasado entre anoche y la tarde de hoy que me haya convertido en persona non grata?

—Nada.

—Eso es lo que me pensaba. ¿Pues por qué ya no somos amigos? ¿Qué es este muro que hay de repente entre nosotros? ¿Cómo permites que la curiosidad de esa mujer te afecte tanto? ¿Tienes miedo de las habladurías si nos ven juntos? —Thad se pasó una mano por el pelo, que llevaba alborotado—. Mira, Elizabeth, van a hablar de ti sólo porque eres viuda y tienes una cara bonita y un buen cuerpo. Se pondrán a cotillear sobre nosotros nos acostemos juntos o no.

—¡No vamos a acostarnos!

Thad achicó los ojos. Sacudiendo el brazo con mal genio, cogió su bolsa de la compra, dejando caer del tenderete unas cuantas manzanas que fueron a parar al suelo.

—En eso estás en lo cierto. Por lo que a mí respecta, los camaleones son como lagartijas. Me dan grima.

—Estará llena de moho para cuando llegue Halloween.

—Entonces, vaciaremos otra —dijo Elizabeth ante el recelo de sus hijos.

—¿Por qué la has puesto en la ventana de atrás, mamá?

—¿No te parece que queda bien ahí?

—Sí, pero así nadie puede verla, excepto nosotros.

«Excepto nosotros y el vecino que vive detrás de nosotros», pensó Elizabeth. Por eso, había puesto la vela más grande que tenía en el interior de la calabaza antes de colocarla sobre el alféizar de la ventana de la cocina. Que el vecino tuviera la casa a oscuras y su coche no estuviera aparcado en la entrada le restaba importancia a su triunfo. Eso y que uno de los ojos de la calabaza se había roto al resbalársele el cuchillo. Se había visto obligada a sujetarlo de nuevo con palillos, aunque eso no se iba a notar desde el porche de Thad.

—Es para que la disfrutemos nosotros —dijo ella con una amplia sonrisa burlona—. Cuando le salga moho, compraré otra calabaza y volveremos a vaciarla. Ahora ayudadme a limpiar este desaguisado.

—Podemos tostar las pepitas.

—No. Esta noche, no. Es hora de ir a la cama.

Una hora más tarde, los niños estaban acurrucados en la cama, habían rezado sus oraciones, se habían tomado su último vaso de agua y habían hecho su último viaje al lavabo. Elizabeth se había quedado perpleja al comprobar que Thad había sido añadido a la lista de bendiciones de cada uno de sus hijos, junto con su papá en los cielos, la tía Lilah, la abuelita y el abuelito de cada lado de la familia. En función de su comportamiento en un determinado día, la inclusión de la señora Alder era opcional. Se preguntaba si Thad iba a convertirse en un miembro permanente de esas listas.

Su jeep aún no estaba aparcado a la entrada de la casa cuando apagó de un soplido la vela de la calabaza y subió al piso de arriba para irse a la cama. Leyó durante un rato para intentar quedarse dormida, pero no lograba concentrarse en el soporífero argumento de su novela.

¿Cómo se atrevía a hablar con ella de ese modo?: «¿Qué mosca te ha picado desde anoche?». ¿Qué se supone que debía haber hecho al verle entrar en el supermercado? ¿Ponerse toda sobreexcitada? ¿Bajar las pestañas recatadamente y agradecerle con humildad que la hubiera acompañado a ella y a los niños al Festival de Otoño?

Hasta la había llamado camaleónica. Tan pronto se mostraba todo caballeroso a lo Clark Kent, como un vulgar mozalbete con el ego herido. Acabaría antes corriendo un tupido velo sobre esta incipiente amistad. Ese hombre era demasiado volátil. En realidad, sabía muy poca cosa de él. Y ahora tampoco le apetecía averiguar más. Las cosas deberían haberse quedado como estaban el día en que Baby se quedó atrapada en el árbol. El señor Thad Randolph había sido un vecino distante, algo misterioso. Elizabeth pensó que ojalá se hubiera quedado así.

No apagó la luz hasta que oyó el jeep entrando en la entrada de su casa. Convencida de que el sueño que se apoderó de ella era un hecho casual, se metió debajo de las sábanas.

Sin embargo, unos momentos más tarde, echó las sábanas a un lado, maldiciendo para sus adentros. Se acordaba de haber dejado el sistema de riego encendido. Lo había puesto en marcha más temprano aquella misma tarde y había estado funcionando desde entonces. «Fantástico para el recibo del agua», pensó mientras vagaba por la casa a oscuras, escaleras abajo y a través de la cocina hasta la puerta de atrás.

El suelo del porche estaba frío al pisarlo con los pies descalzos. El aire de la noche la hizo temblar porque no se había tomado la molestia de ponerse una bata por encima del camisón. Se sujetó el dobladillo del camisón para no arrastrarlo por el césped y se dirigió hacia el aspersor de agua situado sobre los cimientos de la casa. Le llevó un momento encontrarlo en la oscuridad, pero finalmente lo hizo y, doblada por la cintura, lo cerró. Le dio una vuelta más para asegurarse de que estaba completamente cerrado antes de volver a ponerse en pie y darse la vuelta.

Intentó lanzar un gemido de sorpresa que se paralizó en su garganta. Se llevó la mano al pecho como si quisiera detener el fuerte latir de su corazón. Entonces, reconoció la figura que salía de entre las tupidas sombras de la noche. Era Thad Randolph. Sus facciones estaban ocultas por la oscuridad, pero la luz de la luna brillaba sobre su pelo, volviéndolo de un gris inmediatamente identificable.

Elizabeth no formuló la más que obvia pregunta de «¿Qué estás haciendo aquí?» porque ya lo sabía. No sabía cómo, pero lo sabía.

No estaba sorprendida y, por lo tanto, ni se inmutó cuando él levantó la mano y le cogió un mechón de pelo entre los dedos. Lo acarició con mimo, dejando que se deslizara por entre sus dedos sensualmente. Entonces, le acarició el cuello y, como si el calor de sus dedos le hubiera derretido las vértebras del cuello, dejó caer la cabeza hacia un lado.

Él apretó sus labios contra esa parte tan vulnerable y le dio un largo beso. Entonces, mirándola a la cara, le acarició los labios con su dedo pulgar, siguiendo su forma. En respuesta a sus caricias, los labios de Elizabeth se volvieron tan flexibles que se abrieron ligeramente. Entonces, Thad deslizó la yema de los dedos por sus dientes.

Atrevida, Elizabeth posó sus manos sobre el pecho de su vecino. Le apartó la camisa desabrochada, le acarició la piel desnuda, el pelo encrespado y los pezones.

Thad emitió un ligero gemido y, de un repentino empujón, la empotró contra la pared de la casa. Elizabeth vio cómo su cabeza se acercaba a la de ella. Cerró los ojos justo antes de que los labios de Thad capturaran los suyos. Él ladeó la cabeza, para coger bien el ángulo e introdujo su lengua en el calor de su boca.

Elizabeth se dejó caer contra la pared, contenta de que el muro la sujetara y se rindió al buen hacer de Thad y a su experiencia. Nunca la habían besado tan a fondo. Nunca. Ni siquiera en sus fantasías. Su beso parecía extraer la vida de su interior y, al mismo tiempo, inyectarle una savia nueva.

Su lengua sondeaba su boca a base de gallardas ofensivas que la dejaban sin respiración. Entonces, se la metía más adentro para acariciarle el velo del paladar. Elizabeth explotaba de cuerpo, corazón y alma. Chispas de luz se esparcieron por todo su cuerpo.

Thad le comió suavemente el cuello con la boca. Le acarició con la lengua el lóbulo de la oreja antes de que sus dientes le dieran un pequeño mordisco de amor. Thad le besó en el cuello y en el pecho, con la boca abierta, caliente y hambrienta. Cuando le llevó la boca a la zona del pezón, Elizabeth arqueó la espalda como acto reflejo y le cogió del pelo con todos sus dedos. Él le acercó la boca al pezón y lo chupó apasionadamente a través del camisón.

Cogiéndola de la cintura, la sujetó con firmeza y en su sitio mientras echaba las caderas hacia el frente para hacerla sentir la fuerza de su deseo. Ella frotó su cuerpo contra él. Apretando con más fuerza y hacia arriba, la cogió de la cara con las dos manos y la besó con fervor.

Un momento más tarde, Thad había desaparecido entre la oscuridad de la noche.

Los únicos sonidos que escuchaba Elizabeth eran los latidos de su propio corazón y su acelerada respiración. Y el goteo del aspersor. Esas gotas sueltas que caían sobre el charco de barro debajo del aspersor eran su único vínculo con la realidad, el único indicador de que lo ocurrido era real y no una de sus fantasías.

Volvió a entrar en su casa, subió las escaleras y se metió en su habitación. Cerró la puerta, apoyando la espalda contra ella con gran debilidad y tragando saliva para recuperar la respiración. Se llevó una mano a los labios. Aún estaban calientes y húmedos. Le escocían un poco. Los sentía hinchados e irritados por el roce de la barba.

Había sido real. Había ocurrido. Pero ¿cómo? ¿Por qué? ¿Por qué lo había permitido?

Porque era una mujer de carne y hueso. Era una mujer que había conocido la pasión. Sus necesidades no se habían disipado con John Burke. Sus deseos naturales y físicos no habían quedado encerrados en el baúl de los recuerdos. De todos modos tampoco se avergonzaba de ellos. Pero la manera de satisfacer esos deseos sí que podía resultarle violenta. Encuentros con un vecino en el jardín de atrás en medio de la noche no eran la manera más apropiada de entrar en calor. Si el ambiente se iba a recalentar tanto y de manera tan inesperada, tendría que encontrar una vía de escape.

Como guiada por las musas —o por el demonio— se acercó a su escritorio de mimbre y sacó una libreta y una pluma. La tinta salía de la pluma como la sangre de una herida abierta. La habitación estaba helada, pero ella no perdió tiempo en ponerse la bata. No cejó en su empeño frenético de escribir hasta que su fantasía del establo y la del extraño sin rostro no se hubieron transformado de meras imágenes en su mente a palabras sobre el papel.

Después, se quedó profundamente dormida. Por la mañana, llamó a Lilah antes de que pudiera cambiar de idea.

No fue hasta que tuvo varias horas para ponerse a pensar en el tema que empezó a tener serias dudas. Lilah se había quedado encantada con su decisión de entregarle sus fantasías para que fueran publicadas. Se había presentado en coche inmediatamente para recoger las páginas que Elizabeth había escrito la noche anterior.

Se las arrebató de las manos a su hermana.

—No voy a dejarte tiempo para que cambies de idea. ¿Qué fue lo que te hizo decidirte?

Elizabeth estaba contenta de que el ajetreo típico de la mañana del lunes y la vuelta a la rutina imposibilitaran una discusión en profundidad de sus motivaciones. No tenía ninguna intención de compartir con nadie lo que había ocurrido en el jardín de atrás la noche anterior. Ese era un secreto que se llevaría con ella a la tumba.

—Me vendrá bien ganar un dinerillo extra —le dijo a Lilah como si quisiera justificarse—. Si crees que son publicables, envíalos. Pero no pienses que vas a herir mis sentimientos si me dices que no.

—Me muero de ganas de leer tus historias —dijo Lilah, pasando la lengua por los labios como anticipando el festín.

Elizabeth había estado esperando la llamada de su hermana

toda la mañana. Cuando llegó la hora de la comida y aún no sabía nada de ella, se le vino a la cabeza que sus textos eran terribles y que Lilah quizá no encontraba la manera de decírselo con tacto.

No había mucha actividad en el hotel, así que no tenía mucha gente en la tienda. Después de haber comido un poco de fruta y de queso, se dispuso a echar un vistazo a los catálogos de pedidos. Cuando sonó la campanilla de la puerta anunciando la llegada de un nuevo cliente, alzó la mirada con una sonrisa en los labios.

Se quedó petrificada al ver a Thad Randolph dentro de la tienda. Casi se cae del taburete en el que se sentaba detrás del mostrador entre un cliente y otro. Estuvieron mirándose el uno al otro durante un buen rato.

Al final, él dijo:

—Hola.

Tenía los pies apoyados sobre el suelo, pero no se atrevía a levantarse. Le temblaban las rodillas. Se bajó la falda con las palmas sudorosas. Tenía las mejillas al rojo vivo. Los lóbulos de las orejas, también.

—Hola.

Después de unos instantes de tensión en silencio, Thad le quitó los ojos de encima y se dispuso a mirar a su alrededor.

—Había visto el escaparate, pero nunca había estado dentro de tu tienda. Está muy bien.

—Gracias.

—Huele muy bien.

—Vendo popurrís y bolsitas de lavanda. —Elizabeth señaló una cesta llena de bolsitas de encaje llenas de flores secas y especias.

¿Realmente había estado entre los brazos de este hombre la noche anterior? ¿Y entonces sólo llevaba puesto un camisón de batista? ¿Había estado frotándose contra él llena de deseo, mientras la besaba de un modo que, incluso ahora, la aturdía? ¿Y ahora estaban hablando tan tranquilos de bolsitas de lavanda? El sábado por la noche se había sentido molesta porque él no se le había insinuado. Porque había sido casi demasiado comedido. En cambio, no había tenido nada de comedido la noche anterior. Sin embargo, en lugar de sentirse molesta, estaba confundida.

Se lo quedó mirando mientras se dirigía hacia un escaparate de papelería aromática. Cogió uno de los envoltorios de regalo y lo olió.

—¿Es de Chanel? —le preguntó por encima del hombro.

Ella asintió con la cabeza. «¿A quién le habrá olido un perfume de Chanel», se preguntó Elizabeth.

Volvió a colocar el envoltorio en su sitio y se dirigió hacia las estanterías de los chocolates. Estaban expuestos de manera muy vistosa, pero no tanto como para justificar la atención incondicional que él les estaba dando.

—La caja que está abierta es para que los pruebes —dijo para rellenar aquel ingente silencio.

—Parecen buenos, pero no gracias.

Desde allí se dirigió a los botes de *pins* y a los perfumes. Seguidamente hacia los joyeros. A continuación, a la lencería de raso en neceseres de viaje. Finalmente, a los libros de poesía.

Elizabeth se quedó obnubilada con el modo en que cogía y trataba la mercancía. Tenía las manos largas, ágiles y masculinas, salpicadas de vello negro. A pesar de que sus manos fueran tan robustas, no le daba ningún miedo tocar incluso la filigrana más delicada.

—¿Para qué es esta llave?

Sorprendida por la repentina pregunta, Elizabeth pasó de mirarle a las manos a mirarle a los ojos.

—Uh, es para abrir el diario.

—Ah, ya veo.

Thad cogió el libro con la portada satinada e introdujo la llave en la cerradura. A Elizabeth le llamó la atención la seguridad con la que introducía la llave. Se sorprendió a sí misma balanceándose sobre el taburete mientras lo miraba. Al verle volver a dejar el diario en la estantería, Elizabeth dio un hondo suspiro. Entonces, Thad se volvió para mirarla a la cara, si bien prefirió mantener un desconcertante silencio.

—¿Querías... Necesitabas... Estás buscando algo en particular?

Él se aclaró la garganta y miró hacia otro lado.

—Sí. Necesito algo que esté bien.

—¿Ah? —Elizabeth habría querido añadir: «¿Para quién?», pero se lo pensó dos veces.

—Un regalo muy especial.

—¿Es para alguna ocasión en particular?

A Thad se le escapó la tos.

—Bueno, en realidad, sí. Tengo que hacer las paces con una vieja amiga. —Thad se dirigió hacia el mostrador de vidrio detrás del que estaba sentada—. Y cuanto antes lo haga, mejor. Si no, me temo que no voy a poder detenerme en el primer beso la próxima vez.

Elizabeth se quedó mirándole fijamente la punta de la barbilla. En cambio, él no se apartó, ni dijo nada más. Estaba claro que esperaba que ella diera el siguiente paso, así que Elizabeth alzó la vista para mirarle a los ojos.

—No te detuviste al primer beso esta vez.

—No —dijo él suavemente—. No lo hice, ¿verdad? ¿Hace falta que te pida disculpas, Elizabeth?

Ella sacudió la cabeza.

—Casi mejor prefiero no hablar de eso ahora.

—¿No quieres una explicación?

—No estoy segura de que haya una explicación para algo así. Es algo que ha ocurrido y basta —dijo ella con un gesto de impotencia.

—No lo había planeado.

—Ya lo sé.

—No quiero que pienses que crucé mi jardín de atrás y el tuyo con la intención de ponerte entre la espada y la pared contra el muro de tu casa.

Elizabeth dio un respiro entrecortado.

—No era eso lo que pensaba.

Por un momento, no mediaron palabra. Entonces, él le preguntó:

—¿Por qué fuiste tan hostil ayer en el supermercado?

—Estaba molesta.

—¿Por qué?

—No lo sé exactamente —dijo ella, afectada—. Supongo que porque quiero ser yo la que elija a mis novios. No quiero que mis hijos los elijan por mí. Quería dejarte claro que no esperaba que me volvieras a pedir de salir. Quizá me pasé de la raya a la hora de hacerme entender.

—Sí que te pasaste.

—Ya me doy cuenta. Lo siento si me pasé.

—No tienes que disculparte. Yo también me pasé. Me puse histérico contigo. No debería haber dicho todo aquello que dije de todas maneras. Estaba fuera de lugar.

—Por favor —dijo ella, sacudiendo la cabeza—. Lo puedo entender.

Thad dio un hondo suspiro.

—De todas maneras, cuando aparqué el coche ayer a última hora noté que el aspersor estaba encendido y pensé que te haría un favor cerrándolo. Lo que menos me esperaba era verte allí de pie. Y, menos aún, en camisón. —Sus ojos se oscurecieron—. Para mí fue todo un *shock*.

—No irás a pensar que salí así para que te fijaras en mí, ¿verdad?

—No.

—Porque no lo hice. Oí el agua correr y me di cuenta de que se me había olvidado cerrar el sistema de riego. Si no hubiera sido tan tarde, no habría salido en camisón. Y si no hubiera sido necesario, no habría salido en absoluto.

—Te entiendo.

Si le había dicho que lo entendía, mejor sería que ella cerrara el pico y le dejara hablar a él. Era una de esas situaciones peliagudas que sólo podían ir a peor si se hablaba más de la cuenta.

—¿Qué tenías en mente? —preguntó ella.

—Sólo besarte. Nada más que eso, te lo prometo. Pero entonces empezaste a besarme tú también. Sentí tus senos contra mi pecho y, maldita sea, estaba a gusto. Tenía que... ¿Qué pasa?

—Me refería a qué tenías en mente comprar —dijo ella bruscamente—. ¿Qué tenías en mente comprarle de regalo para tu... tu chica?

—Ah, eso. Bueno, vamos a ver.

Thad se llevó las manos a los bolsillos, un gesto que le echó la chaqueta hacia atrás. La pechera de su camisa estaba ajustada contra su musculoso pecho. La entrepierna de sus pantalones estaba ajustada contra su enorme paquete...

Movida por el sentido de culpa, Elizabeth volvió a alzar los ojos hasta su pecho, donde pudo vislumbrar la oscura mata de pelo a través del fino tejido de su camisa. Era la pri-

mera vez que lo veía con corbata desde tan cerca. ¿Q
ponía siempre de traje por las tardes?

—¿Tú que me sugieres? —le preguntó a ella.

Aturullada, no era capaz a pensar en un solo artículo de su inventario. Echó un vistazo alrededor de la tienda como si estuviera viéndola por primera vez. No podía recordar cómo se llamaba nada, ni cuánto costaba. Finalmente, consiguió reunir las palabras suficientes como para formular un argumento coherente y le dio un par de sugerencias, ninguna de las cuales fueron de su agrado.

—No, no es de las que leen —dijo él, cuando Elizabeth le sugirió un pequeño libro con sonetos de Shakespeare.

No, cómo iba a serlo. Por supuesto que no. Las amantes casi nunca entraban en esa categoría. Un hombre no se veía con su amante, menos aún si no la había visto desde hacía tiempo, para estimular el intelecto.

—¿Y qué me dices de esta ropa interior de volantes? —Thad se dispuso a revolver en el perchero de la lencería, que tenía forma circular—. ¿Realmente las mujeres disfrutan poniéndose este tipo de cosas? ¿O es que a los hombres les gustaría que así fuera?

A Elizabeth le empezó a hervir la sangre de nuevo. ¿Por qué le estaba pasando por delante de la cara sus asuntos más sórdidos? Si tantas ganas tenía de comprar algo sexy para su amante secreta, ¿por qué tenía que comprarlo precisamente en su tienda?

—A algunas mujeres les gusta —espetó ella. El énfasis que depositó en las dos primeras palabras parecía querer indicar que las mujeres a las que les gustaba ponerse ese tipo de prendas eran de dudosa reputación.

—¿Y a ti?

Elizabeth alzó la vista para mirarle a los ojos. La estaba tentando para que mintiera. Pero decidió aceptar el desafío. Además, su hijo ya se había ido de la lengua y había dicho que las usaba.

—A veces. Si estoy de humor.

—¿Y sueles estar de humor a menudo?

Elizabeth sintió un cosquilleo desde la entrepierna, que se extendió hacia arriba hasta esparcirse por sus pechos para concentrarse en la punta de sus pezones erectos. ¿Habría notado Thad cómo se le marcaban las puntas de los pezones a través de la blusa? ¿Le recordaban quizá el modo en que los había chupado la noche anterior a través del camisón?

—Eso va en función de cada mujer —dijo ella.

Thad se dio la vuelta y se dispuso a echar un vistazo a las prendas, deslizando las perchas a lo largo del perchero de metal. El sonido que hacían era tan irritante para Elizabeth como cuando alguien arañaba una pizarra con las uñas.

—Esto es bonito. —Sacó un artículo y lo sujetó en alto—. ¿Qué es?

—Es un picardía.

Sus labios dibujaron una amplia sonrisa de zorro.

—No me extraña. Un hombre podría perder el sentido realmente con uno de esos.

A ella no le hizo ninguna gracia el comentario y se limitó a refrenar el impulso de arrebatarle el picardía de la mano.

—¿Lo quieres o no? Sólo vale sesenta dólares. —Se dispuso a silbar suavemente—. ¿No te parece que la chica vale la pena tanto como para justificar el gasto? —le preguntó Elizabeth insidiosa.

—Oh, sí. Sin duda, vale la pena.

El tono y la profundidad de su voz hicieron que sus tobillos se tambalearan.

—¿Quieres que te lo envuelva?

—No, no tan rápido. Aún no me he decidido. Véndemelo un poco mejor.

Thad dejó caer el picardía sobre el mostrador. Elizabeth empezaba a perder la paciencia. ¿Quería la cosa o no la quería? Sin embargo, como sabía que no podía permitirse sacrificar una venta de sesenta dólares, menos aún en un día flojo como aquel, cogió el picardía en sus manos y se dispuso a enumerar sus fabulosas ventajas.

—Es de pura seda.

Thad cogió un trozo de tejido entre sus dedos y lo acarició, exactamente como había hecho con el mechón de pelo la noche anterior.

—Muy agradable. Es pura, casi transparente. ¿Es eso un problema?

—¿Cómo dices?

—¿Se transparenta todo?

—¿Y no se supone que tiene que transparentar?

—En la habitación, sí. Pero no si lo lleva puesto debajo de la ropa.

—Ah. Bueno, no. No debería suponer ningún problema.

—Vale —dijo él—. ¿Y qué me dices del color? ¿Cómo se llama?

—Transparente.

—Bueno, lógico. ¿Y la talla?

—¿Qué talla lleva? —preguntó irritada, mientras pensaba que previsiblemente llevaría una noventa y cinco.

—Más o menos tu misma talla. Póntelo por encima un momento.

Ella vaciló por unos instantes, pero como no quería parecer ninguna mojigata, sacó el picardía de la percha. Se puso los tirantes por encima de los hombros y lo colocó en su sitio.

—Es elástico. Así que debería de caberle si tiene una ochenta y cinco o una noventa.

—¿Ochenta y cinco o noventa qué?

—Es la talla de sujetador.

—Ahh. —Thad entrecerró los ojos y dejó que vagaran sobre las copas del picardía que se adaptaba correctamente a su figura—. Sí, debería servir. ¿Y estos se desatan?

Thad deslizó la mano sobre la hilera de botones de perla de la parte delantera. Con sólo tocarlo con los dedos, los primeros dos se desabrocharon. Sus ojos se encontraron de inmediato.

Elizabeth dejó caer la prenda sobre el mostrador.

—¿Ya te has decidido?

—¿Para qué sirve esto?

Embelesada, se quedó mirando como su dedo seguía lenta y deliberadamente la costura del picardía hasta el corchete ribeteado por delante y por detrás. Elizabeth contuvo un gemido apretando los labios.

—Para abrirlo —respondió con una voz extrañamente ronca.

—¿Para qué?

Irritada a más no poder, gritó:

—¿Y a ti qué te parece?

—Hummm, qué útil. ¿Y estos son para las medias?

Deslizó el dedo por un liguero de encaje.

—Sí, pero se pueden quitar.

—Ponme también un par de medias de encaje y me lo llevo.

—¿En metálico o con tarjeta de crédito?

—Con tarjeta de crédito.

—Bien.

La había puesto tan nerviosa que casi no era capaz de rellenar la factura. Le pasó la tarjeta tan rápido que la máquina casi se la traga. T. D. Randolph. Se preguntó si su nombre completo sería Thaddeus y a qué otro nombre correspondía la D. Seguidamente, se reprobó a sí misma por prestarle tanta atención. ¿Qué más le daba cuál fuera su nombre completo?

—¿Te lo envuelvo en papel de regalo? —le preguntó lánguidamente, mientras envolvía el pecaminoso picardía y las medias en papel de regalo rosa.

—No es necesario.

«No me extraña. Seguro que se va derechito a los brazos de su amante.» Desenvolver el regalo sólo serviría para hacerles perder su precioso tiempo y para retrasar el asunto.

—Gracias —dijo él, mientras cogía la bolsa de Fantasía que le alcanzó Elizabeth con la mano.

—No hay de qué.

—Nos vemos en casa.

«No si yo puedo evitarlo». Elizabeth asintió con la cabeza y le retiró la mirada incluso antes de que hubiese salido por la puerta. Sin embargo, echó una mirada furtiva a través del cristal del escaparate y le vio salir del hotel con aire despreocupado, algo que ella encontró asquerosamente pretencioso.

Al menos su sórdida reconciliación no iba a tener lugar en una de las habitaciones del Hotel Cavanaugh. A fin de cuentas, a él le pegaba más uno de esos moteles que había en la carretera interestatal.

De espaldas al vestíbulo del hotel, metió el recibo de su tarjeta de crédito en el cajón de la caja registradora. Cuando volvió a sonar la campanilla de la puerta, pensó que era de nuevo él que se había olvidado algo. Frunció el ceño, puso cara de pocos amigos y se dio la vuelta para plantarle cara.

—¡Uy, hola! —exclamó decepcionada.

Capítulo 6

Adam Cavanaugh preguntó:

—¿Molesto?

—No, por supuesto que no, señor Cavanaugh. Sólo estaba, uh... —Era ya la segunda vez que aquel hombre la pillaba enzarzada en sus estúpidas fantasías. Y eso que le interesaba quedar bien con él—. Estaba ojeando unos catálogos.

—Me parecía ausente.

—Sí, y es que lo estaba. Por favor, entre y siéntese. —Esta vez había venido solo.

—Sólo puedo quedarme un minuto. —Sin el menor reparo, se tomó la libertad de coger unos chocolates de la caja de muestra y se chupó los dedos sin ningún tipo de cohibición—. Tengo un momento entre una reunión y otra. Me hubiera gustado pasarme antes, pero mi agenda no me lo permitía.

—Seguro que ha estado increíblemente ocupado.

—Me preguntaba si querrías ir de cena conmigo el sábado por la noche.

—¿De cena? —repitió ella estupefacta. ¿De cena con Adam Cavanaugh, *playboy* internacional y uno de los solteros de oro más codiciados del mundo? ¿Ella?

—¿Estás libre esa noche? Si no, podemos quedar para el...

—No, no... estoy libre— se apresuró a decir—. De cena el sábado por la noche me parece estupendo.

—Perfecto. Encuentro que las cenas de negocios son más llevaderas con una mujer guapa al lado. —Cavanaugh esbozó una sonrisa digna de un galán de Hollywood—. Cogeré tu dirección del registro y pasaré a recogerte a las siete y media.

—También podría encontrarle yo directamente en algún sitio —sugirió ella por si no le iba de camino.

—Prefiero recogerte. ¿A las siete y media el sábado?

—Sí, de acuerdo.

—Nos vemos entonces, Elizabeth.

Cinco minutos después de que se hubiera ido, Elizabeth aún no podía creerse que él hubiera estado allí realmente y que hubiera quedado para cenar. Se pellizcó en la mejilla varias veces para asegurarse de que no estaba soñando. Era tan guapo, tan encantador y estaba tan bien vestido y arreglado, tenía todo lo que cualquier mujer podría querer de un hombre. ¡Y había invitado a la viuda solterona a cenar!

¿Qué podría ponerse?

Su lunes flojo fue compensado con un martes frenético, ya que una asociación local de veterinarios había celebrado un seminario de dos días en el hotel. También tuvo mucha gente en la tienda el miércoles por la mañana. Cuando los veterinarios abandonaron el hotel por la tarde, Fantasía necesitaba un lavado de cara.

Se dispuso a poner en orden las repisas y volvió a organizar la mercancía que habían desordenado los clientes. Era una tarea mecánica que no requería mayor concentración. Estaba lloviendo fuera. Incluso dentro, la atmósfera era lúgubre. Encendió unas velas aromáticas en la tienda para crear una atmósfera más cálida y alegre de cara a posibles clientes.

Era el día perfecto para acurrucarse delante de una chimenea con un buen libro. O para echarse una siesta. Entonces, le entró el sueño. Y su mente empezó a divagar...

La escalera de caracol estaba poco iluminada. Los peldaños estaban en desnivel. Las pisadas de los ancestros las habían erosionado. Intenté caminar con cuidado, esperando no derramar nada de lo que llevaba sobre la bandeja.

En el rellano, entraba un poco de luz a través de una angosta ventana. Unos delgados halos de luz entraban por el cristal empañado. Con la bandeja apoyada sobre mi cintura, llamé a la puerta de madera de roble que había al final del pasillo. Dio un grito para que entrara. Mientras abría tan pesada puerta, se aceleraron los latidos de mi corazón. Me ocurría lo mismo cada vez que entraba en la habitación de invitados, donde estaba nuestro «huésped» confinado en la cama.

Había estado residiendo bajo nuestro techo durante casi dos semanas. Recordaba con todo lujo de detalles la tarde en la que había oído como su biplano daba vueltas sobrevolándonos y cómo yo había salido a la carrera de la cocina hasta el jardín. El aeroplano había descrito una cola de humo negro. Se las había arreglado para realizar un aterrizaje forzoso y salirse de aquel trasto antes de que prendiera fuego.

Mi padre, que había estado trabajando en el campo, también vio el accidente. Juntos echamos a correr hacia los restos del avión siniestrado. El piloto se las había arreglado para liberarse, pero había resultado gravemente herido. Entre los dos, le llevamos adentro y escaleras arriba hasta esta habitación.

Era norteamericano. A regañadientes, dio órdenes a papá de que sofocara el fuego para que el humo no alertara a los alemanes. Tenía un conocimiento rudimentario del francés. Nosotros no hablábamos inglés. Sin embargo, se hizo entender antes de perder el conocimiento. Papá se apresuró a seguir sus instrucciones como le habían dicho y me dejó a cargo del piloto herido.

Le retiré las gafas de vuelo y el gorro de cuero. Al quitarle la mugre de la cara con una esponja, se me aceleró el corazón. Era increíblemente guapo. Tenía el pelo grueso y rizado, y le caía por encima de la ceja. Mis dedos actuaban de manera torpe cuando intenté quitarle la ropa, pero no me quedaba más remedio que hacerlo. Una mancha roja y oscura se extendía por la sábana debajo de él.

No supe hasta más tarde que le había alcanzado el fuego de una ametralladora alemana durante un combate aéreo. El resto de su escuadrón había sido derribado. La bala le había abierto una herida en el costado, justo por encima de la cintura. Le limpié la herida y se la vendé. Sus gemidos inconscientes me llenaron los ojos de lágrimas.

Se recuperaría, pero iba a pasar mucho tiempo hasta que pudiera volver a la normalidad o incluso igual tendría que acabar mudándose a un hospital militar. Como papá trabajaba todo el día, la responsabilidad de velar por el cuidado del piloto americano recayó sobre mí.

Ahora, al entrar en la habitación, me lo encontré apoyado contra la cabecera, encima de unos cojines. Bajé la mirada hasta su pecho desnudo. Cada vez que le miraba, un vergonzoso calor húmedo se apoderaba de mi feminidad. De tan sólo mirarle, me entraba un cosquilleo por los pechos. Su ropa había quedado tan ensangrentada que había tenido que tirársela a la basura. Todo excepto la larga bufanda de seda blanca que yo misma le había desenroscado cuidadosamente del cuello y que ahora yacía bajo la almohada de mi propia cama.

Sabía que estaba desnudo bajo las sábanas. También sabía cómo era desnudo porque le había tenido que limpiar el cuerpo con una esponja cuando deliraba de fiebre.

Avergonzada al comprobar que me estaba mirando fijamente, le pregunté si le apetecía comer algo y respondió afirmativamente. El suelo de madera de la antigua casa crujía mientras me acercaba a su cama estrecha. Coloqué la bandeja encima de la mesita de noche y me senté al borde de la cama, con cuidado de que mis caderas no se rozaran contra su muslo, que se marcaba claramente a través de la sábana.

Mi mano temblaba mientras le acercaba una cucharada de sopa a la boca. Sonriente, él sólo tenía buenas palabras para el exquisito sabor de la sopa. Le limpié los labios con una servilleta después de cada sorbo. Se tomó toda la sopa.

Antes de dejarle, encendí la vela de la mesita para contrarrestar la oscuridad causada por un día gris lleno de lluvia. Se oía gotear el agua desde los aleros. Con las manos entrelazadas con nerviosismo a los pies de la cama, le pregunté si había algo más que podía hacer por él.

Él no dijo nada. Sólo alzó la mano y la puso sobre mi cintura. Sentí su caricia a través de la ropa. Estaba tan caliente como el atizador de la chimenea. Apretándola contra mí ligeramente, me incitaba a que me sentara a su lado. El brillo de sus ojos me hechizó. No fui capaz de resistirme. Alzó la mano y me acarició en la mejilla con la parte de atrás de los dedos. Entonces, acarició juguetón los mechones de pelo que se me habían quedado fuera del moño. Me dijo que los americanos lo llamaban «estilo bailarina» y se rió de mi acento al esforzarme por repetir sus palabras.

Entonces, su mano se deslizó por mi garganta y por el escote de mi vestido. Deslizó el dedo sobre la puntilla, alrededor del camafeo que había pertenecido a mi bisabuela y sobre la hilera de botones. Uno a uno, los fue desabrochando.

Mi corazón latía fuertemente contra la palma de su mano cuando me tocó el pecho por encima del vestido, abarcando con su mano la totalidad de mi seno. Sus dedos resultaban cálidos al tacto. El calor y la confusión me turbaron. Me estremecí cuando me tocó el pezón y me sonrojé de vergüenza, pero también de placer, al ponerse tieso contra la yema de su dedo pulgar.

Me pasó una mano por detrás de la nuca y empujó mi cabeza hacia la almohada al lado de la suya. Entonces, me besó. Me quedé de piedra cuando abrió los labios e introdujo su lengua en mi boca. Nunca se me había ocurrido que las bocas podían ser tan íntimas. El apareamiento era algo natural que ocurría en la granja, pero me había pensado que los seres humanos afrontaban la reproducción con la misma indiferencia que los animales. Nunca se me había ocurrido que un corazón pudiera llegar a latir tan rápido o que la sangre de una persona pudiera circular con tanto calor. No sabía que semejante placer pudiera derivarse de la unión de dos cuerpos.

Metió sus manos dentro de mi ropa y acarició las partes más íntimas y secretas de mi cuerpo, que yo apenas me atrevía a rozar con la esponja del baño. Me habían enseñado en la iglesia que tocar «allí» era pecado. Pero no pensé en el pecado, ni en mi padre, ni en las tareas domésticas que me faltaban por hacer. Sólo pensaba en el americano y en las fantásticas sensaciones que sus caricias me producían.

Lancé un gemido cuando acarició el vello de mi entrepierna. Sus dedos descubrieron, con total destreza y sin titubeos, un manantial de sensaciones en mi interior.

Con voz áspera, chirriante, me pidió que le tocara, guiando mi mano para hacerse entender. Me parecía extraño que me lo pidiera cuando llevaba días tocándole. Pero a medida que mi mano se deslizaba debajo de la sábana sobre el suave vello de su piel, supe que este tipo de toqueteo era diferente. Era como si de repente fuera otro hombre. Cálido, pero con otro tipo de fiebre. Se le había acelerado la respiración, pero no estaba delirando.

Me había subido la falda hasta la cintura y me había colocado en-

cima de él. Quería recordarle que tenía una herida, pero me apartó la camisola y acercó la boca a mis pechos. Apretó la lengua contra mi pezón. No era capaz de hablar. No podía hacer otra cosa que abrirme a...

Cuando sonó el teléfono, Elizabeth tuvo un sobresalto. Gracias a su fuerza de voluntad, logró reducir los acelerados latidos de su corazón. Respiró hondo varias veces. Le temblaba la mano cuando alcanzó el auricular.

—¿Diga?

—Hola, soy yo. ¿Qué problema tienes?

Era Lilah.

—Ninguno.

—Te siento rara.

—Estoy ocupada.

—Ocupada escribiendo más fantasías, espero. ¡Lizzie, son fabulosas!

Como habían pasado ya tres días y Lilah aún no la había llamado, Elizabeth se había imaginado que sus textos le habrían parecido demasiado *amateur* para ser publicados o que simplemente no le habrían gustado. En cualquier caso, se había sentido aliviada y entristecida a partes iguales porque su carrera hubiese sido tan corta.

—No hace falta que digas eso para no hacerme daño —le dijo a su hermana.

—No te lo digo por eso. Dios mío, Lizzie, no tenía ni idea de que fueras tan eróticamente imaginativa. Me he leído las dos fantasías una docena de veces cada una y no sabes lo que me entretuvieron cada vez.

—Pero eres mi hermana y me quieres. Es natural que...

—Vale. Es cierto que quería que fueran buenas. Precisamente por eso, puse en tela de juicio mi propio criterio, aunque supiera que estaban bien. Pero para estar segura, les pedí a otras cuatro personas de aquí del hospital que se leyeran los textos.

—¡No me digas que has hecho eso!

—Tranquilízate. No les dije que los habías escrito tú. Nunca se hubieran creído que se trataba de un ratoncito como tú.

—Gracias —dijo Elizabeth con sequedad.

—De todas, formas, que conste que las dos mujeres y los dos hombres que las leyeron...

—¿Se los has enseñado a hombres?

—Tampoco te vayas a pensar que las mujeres tienen acaparado el mercado de fantasías —discutió Lilah—. He pensado que sería valioso ver si las fantasías funcionaban con hombres también y te aseguro que han funcionado. Ya están de camino a Nueva York. Los manuscritos, no los hombres —añadió, riéndose.

—¿Ya los has enviado?

—Sí, para no darte pie a que me convencieras de lo contrario. Las he pasado a máquina yo misma. He hecho cientos de errores, tenía las manos llenas de sudor. ¿Cuándo me vas a dejar que lea alguna más?

—¿Más? ¿Y quién te ha dicho que iba a haber más?

—Es algo que he pensado yo solita. El talento como el tuyo no se termina con un par de fantasías.

—No estoy segura de que sea cuestión de talento y no sé cuándo tendré tiempo de escribir otra. —Tímidamente, dijo—: Tengo una cita el sábado por la noche.

—¡No me lo dices en serio! —gritó Lilah—. ¿Con quién? ¿Con el tío bueno del gallinero?

—No tiene un gallinero. Es un redil para unos cachorros

de setter irlandés. Se llama Thad Randolph, y no, mi cita no es con él. —Aún no le había contado a Lilah lo acaecido el domingo por la noche y el episodio del Festival de Otoño, porque su hermana se habría apresurado a extraer sus propias conclusiones de manera equivocada. Lilah habría lanzado alguna hipótesis para convencerla de que Thad había ido por ella y no por los niños—. Adam Cavanaugh me ha invitado a cenar con él.

—¿De veras? Bueno, mi querida hermana. Eso debería servir de inspiración para otra historia. Acuérdate de incluir todo con pelos y señales.

—Lilah, sólo es una cena.

—Que, como te salga bien, puede alargarse hasta el desayuno. —Al comprobar el enfado de Elizabeth, Lilah dijo—: No seas susceptible. Ya iba siendo hora de que empezases a vivir un poco tus propias fantasías. Diviértete, pero intenta no enamorarte de Cavanaugh.

Lilah colgó el teléfono, no sin haberle arrancado antes a Elizabeth la promesa de escribir más fantasías. Elizabeth se llevó las manos a la cabeza al darse cuenta de que tenía abierta la tienda cinco minutos más de la cuenta y la cerró en un santiamén. La señora Alder siempre se enfadaba cuando llegaba tarde.

Por culpa de la lluvia, el tráfico era una pesadilla. Al llegar a casa, apenas le había dado tiempo a salir del coche, cuando Megan y Matt la asediaron con un problema.

—Mamá, le ha pasado algo terrible a Thad —dijo Megan toda teatrera.

Elizabeth exhortó a los niños a hacerse a un lado para poder salir del coche y cerrar la puerta.

—¿Qué quiere decir eso? ¿Le ha pasado algo terrible a Thad? Adiós, señora Alder —le dijo a la niñera mientras se iba—. A ver, ¿qué es esta historia de Thad? —les preguntó a los niños, que daban una impresión demasiado jovial para el sentido de luto que pretendían transmitir.

—Creemos que está muerto o algo.

Matt ofrecía un aspecto tan sombrío que Elizabeth tuvo que toser para ocultar una carcajada espontánea.

—¿Y qué os hace pensar eso?

—Porque su coche está allí, pero no responde a la puerta cuando llamamos.

—Quizá haya salido a dar una vuelta en moto.

—La tiene aparcada en el garaje.

—Bueno, quizá es sólo que no quiere compañía. —«O, quizá más bien que *tiene* compañía», pensó Elizabeth. No le había vuelto a ver desde que había salido por la puerta de Fantasía el lunes con el regalo para su amante metido en una bolsa que llevaba de la mano.

Megan sacudió la cabeza.

—Se pueden ver los platos del desayuno sobre la mesa de la cocina. No le gusta nada el desorden. Ya me dijo eso hace mucho tiempo.

—Probablemente, no le apetecía limpiar hoy.

—O quizá esté muerto. A lo mejor entró alguien en su casa y le dio una puñalada o algo. Entonces, sería culpa nuestra por no comprobarlo.

¿De dónde sacaba Matt aquellas ideas tan macabras? Esa pregunta era de fácil respuesta, pensó Elizabeth. De su madre.

—Venga, mamá. Tienes que ir a ver qué pasa.

Cada uno la había cogido de una mano y juntos tiraban de ella por el jardín.

—Estoy segura de que tiene que haber una explicación lógica. —Elizabeth se cerró en banda, pero sus hijos estaban realmente preocupados. Si no les tranquilizaba, no iban a dejarla en paz. Le darían la lata con el mismo tema hasta que diera su brazo a torcer—. Oh, bueno, vale.

Volvió a poner en tela de juicio la conveniencia de su decisión cuando alzó la mano para llamar a la puerta trasera de su casa. Vaciló por un momento, pero una sola mirada a Megan y a Matt bastó para que llamara a la puerta con determinación. Esperó durante varios segundos y, como no oía ningún ruido de pisadas acercarse, volvió a llamar.

—¿Ves, mamá? No contesta.

—Está muerto.

—Qué va a estar muerto —enfatizó ella ante los malos presagios de su hijo—. De hecho, estoy segura de que no pasa nada. —Elizabeth puso las manos a ambos lados de los ojos y miró a través de la mosquitera. Tal y como decían los niños, la mesa de la cocina, que podía ver desde el pasillo de entrada, estaba llena de platos de comida, aparentemente para varias personas.

—Entra a ver lo que pasa. La puerta no está cerrada con llave.

—Megan, ¡no puedo coger y entrar tan tranquila en una casa ajena!

—¿Cómo que no?

Se le veía en los ojos que aquella pregunta era tan inocente y sincera que Elizabeth se vio obligada a buscar una respuesta.

—No es de buena educación, por eso. —Lo que no era capaz de explicarles a sus hijos era que el señor Randolph quizá no querría ser molestado si estaba retozando en la cama con alguna amante o durmiendo para pasar la resaca del día anterior o... Se le vinieron a la mente unas cuantas posibilidades más. A pesar de todo, también estaba algo intrigada. ¿Qué demonios estaría haciendo allí dentro?

—¿Y qué pasa si Thad está enfermo y no le ayudas?

—Sí, podría morirse y sería culpa tuya. Culpa tuya, mamá.

—¡De acuerdo! —gritó. La táctica de instigar su sentido de culpa funcionaba siempre y eso lo sabían perfectamente sus hijos. Abrió la puerta de la mosquitera y después la de madera y se encontró las dos sin cerrojo, como Megan le había dicho. Metió un pie dentro. Los dos niños la seguían de cerca—. No, vosotros dos quedaros aquí. —No quería que los niños vieran a su ídolo en una posición comprometida (ni en ninguna posición de ningún tipo) con una persona del sexo opuesto.

—Queremos venir contigo.

—No. Quedaros aquí. Ya averiguaré yo si hay algún problema y, entonces, volveré aquí.

Para curarse en salud ante cualquier posible intento de que la desobedecieran, le pasó el cerrojo a la puerta de la mosquitera. Seguidamente, atravesó de puntillas el porche. Antes de entrar en la cocina, gritó su nombre. Lo hizo más alto de lo normal. Oyó el eco a través de la casa vacía. Seguramente, estaría fuera con alguna amiga y esto era un garrafal allanamiento de morada, por el cual tendría que acabar dándole explicaciones más tarde.

Pero el hecho de haber salido con una amiga no explicaba los platos sucios que había esparcidos por toda la mesa y apilados en el fregadero. Él no habría permitido que su cocina estuviera tan desordenada, a no ser que hubiera tenido una muy buena razón para ello.

Como no conocía la distribución exacta de las habitaciones en la casa, siguió su intuición y se dirigió hacia la puerta delantera, donde volvió a gritar su nombre. Descubrió que la sala de estar estaba decorada con mucho gusto. Sin grandes extravagancias, pero todo era muy moderno y tenía mucho estilo. Había varias revistas cuidadosamente ordenadas sobre la mesa. *Newsweek, Time, Esquire*. Ninguna era de chicas desnudas.

—Seguro que ese otro tipo de revistas las tiene guardadas en la habitación —dijo para sus adentros.

El inminente anochecer había hecho que el día oscuro fuese aún más oscuro. La lluvia que se había encontrado mientras iba en coche de camino a casa empezaba ahora a golpear con fuerza los cristales. No había encendido ninguna luz. Las amplias habitaciones de la casa estaban a oscuras. Toda aquella aventura se estaba volviendo espinosa.

—¿Señor Randolph? ¿Thad? —Se detuvo un momento para escuchar. Al no recibir ninguna respuesta, se dio la vuelta satisfecha y se volvió hacia la cocina.

Sin embargo, no había dado más que unos pasos cuando oyó un suave gemido. Se quedó paralizada. Se detuvo para asegurarse que había oído bien. Entonces, lo volvió a oír de nuevo. Esta vez más alto.

Se le aceleraron los latidos del corazón. ¿Se trataba de un gemido de dolor o de pasión? ¿De agonía o de éxtasis? ¿O posiblemente de ambas cosas a la vez? Por el amor de Dios, no quería saberlo. Pero sus hijos no iban a dejarla descansar hasta que lo averiguase.

Cambió de dirección y echó a andar por el pasillo. Mientras se acercaba a la puerta abierta, pudo oír el sonido de la tela al frotarse. Se trataba sin duda de sábanas, pero ¿eran dos cuerpos o sólo uno? Respiró hondo y asomó la cabeza por la rendija de la puerta, echando rápidamente la cabeza hacia atrás cuando registró bien lo que había visto.

Se trataba sin duda de la habitación de Thad. Contra la pared al otro lado de la puerta, había una cama de matrimonio. Él estaba tumbado en ella. Por suerte, estaba solo. Aunque no en calma.

En la fracción de segundo que se había permitido mirar en la habitación, le había parecido que estaba enfermo. Sus brazos y piernas se movían nerviosamente y su cabeza deambulaba de lado a lado de la almohada.

Elizabeth se armó de valor y entró en el dormitorio con la misma inquietud de un joven soldado que se va a la batalla por primera vez. Uno tenía que cumplir su cometido.

—¿Thad?

No le sorprendió que no la oyera. La voz de Elizabeth era lánguida, casi como un susurro. Los gemidos de Thad, que eran cada vez más altos, ahogaban sus palabras. Entonces, Thad echó rápidamente un brazo a un lado y le dio una patada feroz a la sábana.

Estaba desnudo.

Ella no podía verlo todo por culpa de una esquina de la sábana azulina que llevaba casualmente alrededor de la cintura. Un pie descalzo y la pantorrilla sobresalían sobre el borde de la cama. Tenía la otra pierna cubierta, pero se le marcaba claramente bajo las sábanas, que tenía pegadas al cuerpo. Su pecho estaba al descubierto. Su estómago cóncavo subía y bajaba como consecuencia de su respiración dificultosa. Su ombligo…

Elizabeth apartó la mirada de su ombligo, no sin antes reparar en lo sensual y profundo que era. Lo tenía circundado por una espiral de pelo oscuro. Una hilera de suave pelo dividía en dos partes iguales su torso y conectaba su amplio pecho con su abdomen delgado. Sus pezones deberían estar relajados, pero no lo estaban.

Se acercó de puntillas a la cama, como si en ella hubiera

una criatura peligrosa y no un hombre inofensivo. Tenía los ojos cerrados, pero palpitaban espasmódicamente. Murmuró algo que ella no fue capaz de comprender y soltó otro enorme gemido.

Apesadumbrada, Elizabeth subió una rodilla sobre la cama y se reclinó sobre él.

—¿Thad? ¿Estás enfermo?

Thad extendió una mano a tientas, mientras con la otra...

No lo había notado hasta que él la cubrió con su mano, pero no se explicaba cómo se le podía haber pasado por alto. Quizá sí que lo había notado, pero su mente se negaba a reconocerlo. Aunque ahora no le quedaba otro remedio.

Se le habían resecado los ojos demasiado como para parpadear. Elizabeth pegó un grito. Un pitido, tan alto como las campanas de Quasimodo, le envolvió la cabeza. Sintió que se iba a desmayar.

Él volvió a sacudir su brazo. Su puño aterrizó firmemente sobre el pecho de Elizabeth. Entonces, extendió los dedos y acarició con ellos la suavidad de su pecho. Eso debió sacarle de sus más profundos sueños, porque sus ojos se abrieron en ese preciso instante. Alzó la vista para mirarla a los ojos, tan sorprendido de verla allí de pie a su lado como ella de tener su enorme mano acaparándole un pecho.

Thad sacó inmediatamente la otra mano de sus partes más íntimas y, con la otra, tiró de la sábana hasta cubrirse por la cintura. Ambos quisieron ignorar —o al menos lo intentaron— que la sábana formaba una tienda de campaña sobre su regazo.

—¿Qué estás haciendo tú aquí? —Tenía la voz ronca. Se pasó la lengua sobre los labios resecos con la intención de humedecerlos.

A Elizabeth le llevó varios intentos el poder decir algo. Cuando finalmente lo consiguió, sólo logró balbucear.

—Yo... Yo... Los niños... ¿Estás enfermo?

Thad se echó el antebrazo por encima de los ojos.

—No, no me pasa nada.

Aquel detalle tan machito de no querer reconocer que estaba enfermo la enfureció.

—¿Estás enfermo o no?

—Sí, estoy enfermo —murmuró—. Tengo gripe, supongo. Y más te vale salir de aquí antes de que te contagie y después se lo pases a los niños.

—¿Tienes fiebre?

—No lo sé. ¿Te parece que sí?

Thad volvió a bajar el brazo. Elizabeth vaciló durante un momento antes de ponerle una mano sobre la frente. La tenía sudorosa y caliente.

—Creo que tienes un poco.

—Empezó hace un rato. Me puse a sudar. Le di una patada a las sábanas. —A los pies de la cama, estaban tiradas de cualquier manera una colcha empapada y una manta.

—¿Tienes un termómetro?

—En el armario del baño.

Agradecida de encontrar cualquier excusa que sirviera para poner cierta distancia entre ellos, Elizabeth dejó la cama y se dirigió al baño en la sala contigua. En la segunda repisa del armario sobre el lavabo estaba el termómetro. Elizabeth intentó resistir la tentación de investigar qué más podría encontrar en el armario y se lo llevó a la habitación junto con una caja de aspirinas.

Él había estirado la sábana y se la había subido unos centímetros por encima de la cintura. Tenía las dos piernas cubiertas, pero seguía a pecho descubierto y aún tenía los pezones erectos. De la manera más distante que le fue posible dadas las circunstancias, Elizabeth sacudió el termómetro para bajar la barra de mercurio. Entonces, se echó hacia delante a la espera de que abriera la boca. Acto seguido, le metió el termómetro debajo de la lengua.

—¿Te has tomado ya alguna de estas? —Elizabeth extendió la mano sujetando el bote de aspirinas. Él sacudió la cabeza para decir que no. Entonces, le miró exasperada y dijo—: Ahora vuelvo. Mantén el termómetro debajo de la lengua.

Megan y Matt esperaban impacientes cuando ella abrió la puerta de la mosquitera.

—Teníais razón —dijo ella antes de darles tiempo a que la asediaran a mil y una preguntas—. Thad está enfermo.

—¿Podemos entrar para verle?

—No.

—Se supone que hay que ir a visitar a los amigos enfermos. Eso es lo que dicen en el catecismo.

—Pero no cuando tu amigo tiene algo contagioso. Podríais coger la gripe.

—También tú. ¿Cómo es que tú puedes visitarle y, en cambio, nosotros no?

—Porque yo soy una madre y las madres no cogen enfermedades tan fácilmente como los niños. —Se esperaba que eso les sirviera de respuesta. Pero no fue así.

Al unísono, dijeron:

—Pero, mamá…

—No tengo ganas de discutir. —Su expresión severa logró acallarles—. Voy a limpiar esta cocina y a calentar un poco de sopa para él. Mientras yo hago eso, ¿por qué no vais a ver cómo están Penny y los cachorros? Aseguraros de que tengan agua fresca.

Cuando logró deshacerse de ellos, rellenó de agua fría un vaso limpio y volvió a la habitación. Se encontró a Thad a punto de sacarse el termómetro de la boca. Se lo pasó a ella para que lo mirase.

—¿Qué dice? Nunca he sido capaz de leer estos malditos termómetros.

—Treinta y ocho —respondió ella mientras agitaba de nuevo el termómetro para bajar el mercurio antes de volver a meterlo en la funda de plástico—. Tómate dos aspirinas. —Thad, obediente, se tomó dos aspirinas con el agua que le había traído ella—. ¿Te acordarás de tomar dos más a eso de las diez?

—Intentaré acordarme.

En cuanto se tomó las aspirinas, volvió a dejar caer la cabeza sobre la almohada. Elizabeth notó que la almohada estaba dura y mal puesta, y que tenía la funda húmeda de sudor.

—¿Quieres que te cambie las sábanas?

Thad se dio un repaso a sí mismo por todo el cuerpo y, después, la volvió a mirar.

—No.

Ella no insistió. En realidad, se sentía aliviada. No es que no quisiera hacerlo, pero la idea de ver a Thad entrando y saliendo desnudo la tenía algo preocupada.

—¿Qué tal si cambiamos las almohadas de sitio?

Thad le permitió que lo hiciera, levantando la cabeza el suficiente rato como para que ella reemplazara la almohada con la que había encontrado al otro lado de la cama.

—¿Dónde están tus otras mantas?

—En el armario de la ropa de cama en el hall, pero tengo calor.

—Si no te tapas bien, vas a coger frío. —Quizá por eso seguía teniendo los pezones duros.

Logró dar con el armario de la ropa de cama y encontró las sábanas y las toallas cuidadosamente dobladas en la estantería. Cogió una manta y se la llevó a la habitación, la sacudió por encima de la cama y la dejó caer suavemente sobre su cuerpo para no tener que colocársela ella manualmente.

—Tú descansa mientras yo te caliento una sopa. Supongo que habrá una lata de sopa en la casa.

Él asintió con la cabeza, pero agitó la mano como protesta.

—Ya has hecho suficiente, Elizabeth. Sólo quiero dormir para recuperarme. Mañana volveré al trabajo.

—Si haces eso, al día siguiente estarás en el hospital —dijo Elizabeth apuntándole con el dedo—. Quédate ahí. Volveré enseguida.

Mientras la sopa de pollo con fideos hervía a fuego lento, ella fregó los platos sucios y los metió en el lavaplatos. A continuación, pasó un trapo por encima del mostrador y de la mesa, y retiró los platos que se habían quedado encima de la mesa. La sopa estaba lista para cuando ella había terminado de recoger. Sirvió un poco sobre un bol y lo colocó encima de una bandeja junto con un zumo de naranja y una servilleta de papel.

Cuando se detuvo en el umbral de la puerta de su habitación, sujetando la bandeja, una nueva fantasía se abrió paso en su mente. Esta vez no se trataba de la campiña francesa. Tampoco ella era la hija virgen de un granjero, ni Thad era ningún piloto herido, pero la asombrosa similitud entre la fantasía y aquella realidad hizo que se estremeciera.

Elizabeth se acercó a su lado, colocó la bandeja en la mesita de noche y encendió la lámpara. La bombilla no era mucho más brillante que la luz de una vela. Su suave luz caía sobre la cara de Thad. Estaba quedándose dormido. Sus párpados describían sendas sombras sobre sus mejillas. Su pecho subía y bajaba débilmente a cada respiro. La aspirina estaba surtiendo efecto.

Elizabeth pronunció su nombre en voz baja. Él abrió los ojos. La penetró con la mirada de un modo casi sexual. Ella sintió una espiral de sensaciones que le causaron un hormigueo en el estómago.

—¿Te apetece comer algo?

—Supongo que sí. —Elizabeth le ofreció el zumo de naranja fresco. Él se lo bebió de un solo trago.

—Deberías beber más líquidos —le reprendió ella con benevolencia, mientras le pasaba la servilleta. Como no sabía muy bien qué hacer con ella, la sujetó con una mano.

—No me apetecía levantarme para hacer nada.

—Matt y Megan se están ocupando de los cachorros y de Penny.

—Gracias. Ya sabía que los cachorros no se iban a morir de hambre, pero estaba preocupado por Penny. La gripe me tumbó ayer por la mañana.

En ese caso, le había dado tiempo a mantener su cita el lunes por la tarde, concluyó Elizabeth. Entonces, se preguntó si a su amiga le había gustado el picardía, aunque en realidad no quería saberlo.

—¿Te las puedes arreglar solo para comer?

—Si me sujetas tú la bandeja, creo que me las puedo arreglar.

Elizabeth se sentó con cuidado al borde de la cama y puso la bandeja encima de su regazo. Él se reclinó sobre un codo por encima de la bandeja. Con torpeza, alzó la cuchara, la metió en la sopa y se la llevó a la boca.

—Está muy buena. Gracias, Elizabeth.

—De nada.

Se tomó la mayor parte de la sopa antes de volver a posar la cuchara.

—Eso es todo lo que necesito por ahora.

—De acuerdo. —Elizabeth apartó la bandeja de encima de su regazo y volvió a colocarla sobre la mesita de noche.

Antes de que Elizabeth volviera a bajar los brazos, sintió su mano sobre la cintura. Thad la acarició, deslizando la mano sobre su silueta.

—Estás helada —murmuró.

Elizabeth se quedó mirando perpleja cómo él reposaba su cabeza sobre su muslo, hundiendo su rostro contra el tejido de la falda. Entonces, frotó la nuca contra su vientre.

Ella permaneció inmóvil en un principio para después dar rienda suelta a toda su feminidad, sus instintos maternales, su generosidad y su cariño. Sin grandes esfuerzos, su cautela se rindió ante la conquista de su vecino. Entonces, movida por su propio instinto, Elizabeth colocó su mano contra la sonrojada mejilla de Thad, que lanzó un suspiro y cubrió su mano con la suya propia. Con la otra mano, Elizabeth le acarició los humedecidos mechones de pelo canoso que le caían por la frente.

Unos instantes más tarde, él alzó la cabeza y la miró.

—¿Estaba soñando o te he besado realmente?

—¿Cuándo?

—Hace un momento. Nada más que entraste. —Él le acarició la mejilla y jugueteó con los mechones de pelo que se le habían soltado del moño.

—Lo debes haber soñado

—¿No te estaba tocando el pecho?

Sin aliento, Elizabeth sacudió la cabeza para responder que no.

—Más bien le diste un golpe.

—No, eso lo recuerdo bien. En mi sueño, lo estaba acariciando con mi dedo pulgar. —Los ojos de Thad describieron un candente recorrido entre el camafeo sobre su cuello y la hilera de botones de su blusa—. Y tú me acariciabas.

Al recordar dónde le había puesto la mano al entrar en la habitación, Elizabeth se puso roja por todas partes.

—Más vale que me vaya. Los niños deben de estar preguntándose qué ha sido de mí.

Thad se reclinó sobre la almohada. Ella recogió la bandeja y salió de la habitación sin pausa, pero sin prisa. Tenía las manos temblorosas, las mismas manos con las que habría querido colocarle la cabeza sobre sus pechos y dejar que descansara ahí durante todo el rato que deseara.

Rápidamente, recogió las cosas de la bandeja y colocó encima una jarra de agua con hielo y un vaso limpio. Evitó mirar a Thad directamente mientras colocaba la bandeja sobre la mesita.

—No te olvides de tomar una aspirina. Y bebe mucha agua. No te molestaré más a no ser que pidas ayuda. Y, por favor, hazlo si lo necesitas —dijo ella, dando una palmada con las manos, mientras retrocedía de espaldas hacia la puerta—. Bueno, pues adiós.

Cuando se volvió para irse, él la cogió de la mano.

—Elizabeth, estoy contento de que hayas venido. Gracias por todo. —Thad la acarició sobre la muñeca con el dedo—. Pero, en cierto sentido, ojalá no me hubieras despertado. Me hubiera gustado saber cómo terminaba aquel sueño.

Capítulo 7

Me puse a temblar delante de él, más aterrorizada ante la posibilidad de perder la virtud que de perder mi vida. Al menos, morir era algo digno. Ser la esclava sexual de un jefe pirata no lo era.

Unos hombres gruesos, barbudos y malolientes me habían sustraído de mi habitación y me habían llevado, atada de pies y manos, a este barco. Aún tenía los ojos vendados, pero sabía que estábamos en mar abierto. La cubierta chirriaba bajo mis pies y podía oír el ruido de las velas sobre mi cabeza.

El viento era fuerte. Mi capa ondeaba a mi alrededor y empujaba el fino tejido de mi camisón contra mi cuerpo desnudo. Me puse a tiritar, no de frío, sino movida por la intuición de que él, el comandante de aquella panda de asesinos, que había ordenado mi secuestro, estaba a pocos metros, observándome como un gato malicioso a un ratón atrapado.

Para no parecer una cobarde, alcé mi barbilla orgullosa. Podía perfectamente abusar de mí, incluso matarme, pero nunca iba a poder con mi espíritu. Sus oscuras carcajadas se confundían con el viento. Unos instantes más tarde, sentí el ruido de sus pisadas que se acercaban a través de las suelas de mis pies descalzos. Mi corazón se aceleró preso de la ansiedad, pero logré mantener el semblante orgulloso que las institutrices me habían inculcado desde la infancia.

Recibí un golpe que me empujó la cabeza hacia delante, una vez que me retiró la venda de los ojos. Me eché el pelo hacia atrás y le miré a la cara. Mi mirada en principio hostil pronto se tiñó de profunda sorpresa. ¡Conocía al rey pirata! Le conocía de toda la vida. Era el hijastro gandul de la familia que vivía en el estado vecino, el que tenía reputación de jugador y de mujeriego desalmado. Dada su flamante falta de respeto por las mínimas normas de decoro, su familia le había desheredado hacía años. Su nombre rara vez se pronunciaba entre la gente de bien y, cuando lo nombraban, era siempre en voz baja. Ahora, aquí estaba él, mi captor.

Se echó a reír al verme sorprendida. Entonces me informó con voz amenazadora de que estaba vengando una injusticia que le había hecho mi padre atrás en el tiempo. Adoptando un aire despectivo, el pirata sacó un sable de la funda de cuero que llevaba puesta alrededor de su enjuta cintura. Como creí que me iba a matar en el acto, me estremecí al ver que daba una estocada con la espalda.

En cuanto comprobé que seguía viva y que estaba aparentemente ilesa, abrí los ojos para descubrir que había cortado el nudo de mi capa y que se me había caído a los pies. El camisón, cada vez más humedecido por el salpicar de las olas, se me pegaba contra el cuerpo dejando al descubierto mi anatomía.

Sus ojos, fríos y brillantes, se posaron sobre mí, deteniéndose para mirarme el pecho con interés y la sombra triangular de mi entrepierna. Consiguió que me estremeciera de espanto. Eso es lo que me dije a mí misma. No quería reconocer que el origen de mis temores era otro, completamente distinto.

Recordaba a este vecino en su más tierna infancia. Desde entonces, se había hecho hombre, había llegado a su madurez plena y se había convertido en un hombre de impresionante figura. Llevaba una camisa de manga ancha abierta hasta la cintura, que sacaba a relucir su pecho musculoso. Lo tenía cubierto de pelo, más oscuro incluso que el de la cabeza. Llevaba un cinturón ancho que enfatizaba la delgadez de su cintura. Sus botas eran altas por encima de la rodilla y me llevaron a fijarme en sus muslos, tan duros y lisos como los mástiles del barco. Su virilidad, noté, quedaba indecentemente subrayada bajo los finos bombachos apretados, que le sentaban mejor que su propia piel.

Notó la dirección de mi mirada y se rió engreído. Antes de que me diera tiempo a pronunciar ninguno de los muchos epítetos que se me pasaban por la cabeza, me abrazó contra su sólido y amplio pecho. Me puse a darle patadas con todas mis fuerzas y me negué a moverme, exigiendo que me dijera adónde me estaba llevando. Mis luchas sólo sirvieron para deleite de sus hombres, que vitoreaban a su líder y le ofrecían consejo de cómo hacer para amansarme. Sus silbidos lascivos hicieron que mis oídos y mis mejillas se pusieran rojos de indignación.

Dio una patada a la puerta de su camarote para abrirla con el pie y, tras meterme dentro, la cerró del mismo modo airado. Sin miramientos, me tiró sobre la cama. La caída fue abrupta, pero la cama estaba suave y era ancha. De hecho toda la habitación era mucho más lujosa de lo que me esperaba.

Me tumbé entre los cojines tapizados de seda oriental y le observé con temerosa fascinación mientras se quitaba la camisa de encima por la cabeza y la tiraba al suelo con aire desenfadado. Cada músculo de su pecho y de sus brazos se tensaba bajo su piel morena mientras se quitaba lentamente el cinturón de cuero. Dejándome embelesada con la mirada, se desabrochó los bombachos.

Lancé un grito aterrada y consternada. Sonriente, él se acercó caminando con aire arrogante a la cama sobre la que yo yacía. Cogió un largo cuchillo de doble filo de la mesita, se acercó aún más y alzó con una mano mis tobillos atados. Los inexorables nudos de la soga no sobrevivieron al corte de su afilado cuchillo y mis pies se liberaron. Fruncí el ceño cuando se puso a inspeccionar los moratones que la apretada soga me había dejado marcados sobre los tobillos y los acarició bruscamente con su dedo gordo. Me pasó la mano por detrás y liberó mis manos del mismo modo. A continuación, me las pasó hacia delante e inspeccionó mis irritadas muñecas amarillentas.

Sin embargo, me equivocaba al pensar que sus sentimientos por mí se hubieran vuelto caritativos. Aún le invadían las ansias de venganza. Con un brusco golpe, tiró de mí para ponerme en pie. Me balanceé contra él y sentí la necesidad de sujetarme a algo para no caerme. Dio un gemido de satisfacción cuando mis pechos se frotaron contra su pecho. Hundió todos sus dedazos en mi pelo y los apretó contra mi cabeza para empujarla hacia atrás. Entonces, esbozó una sonrisa triunfante, dobló la cabeza y devoró mis labios..

No estaba preparada para el calor que me invadió como el buen vino. Atribuí el cosquilleo en mis labios al hecho de haber estado amordazada, pero sabía que la causa eran sus labios y lo que estaban haciendo con los míos. Su lengua desfloró mi boca con la misma seguridad que esa otra parte de él que ahora yo sentía apretarse con firmeza contra mi vientre, a punto de reclamar mi doncellería.

Entonces, forcejeó con los botones de mi camisón. De repente, entré en razón y me puse a forcejear contra él. Impacientado ante mis inocuos esfuerzos y la testarudez de mis botones, cogió mi escote en un puño y rompió el camisón en dos. Su otra mano sujetaba mis muñecas por la espalda. Después de otro largo y profundo beso que me dejó sin aliento y casi sin sentido, alzó la cabeza y deslizó los ojos sobre mi cuerpo desnudo.

Entonces, su semblante sufrió de repente un cambio drástico. En su tenebrosa cara, pude reconocer en ese momento resquicios de su infancia feliz y despreocupada. Así era antes de que las injustas comparaciones que su padre se obstinaba en establecer entre él y su hermano le hicieran convertirse en la oveja negra que era.

Sus ojos ya no resultaban fríos e implacables. Ahora me miraban llenos de anhelo. Con voz triste, me dijo que era guapa, dulce y que mi inocencia era estremecedora. Cuando alzó la mano y me tocó los pechos, lanzó un suspiro tan sentido que mi corazón se llenó de compasión.

Observó el vago movimiento de su propio dedo sobre mis carnes mientras acariciaba con ternura mi pezón hasta que estuvo erecto. Entonces, agachó la cabeza y me chupó el pezón con su lengua cálida y húmeda.

Su otra mano se relajó, liberando mis hasta entonces inmovilizadas manos. Le pasé mis brazos alrededor del cuello y me rendí a las húmedas caricias de su boca. Me plantó la mano sobre el trasero y me apretó contra él, lo bastante como para tantear inmediatamente la intensidad de su deseo. Fuera de mí y movida a estas alturas sólo por mi propio instinto, deslicé mi mano hacia abajo sobre su pecho en busca de...

—¿Señora Burke? —Elizabeth alzó la mirada desde debajo de la tapa de la máquina de la permanente—. ¿La he asustado? Lo siento —dijo la manicura con una sonrisa de disculpa—. Ya me puedo poner con usted.

Elizabeth cogió el bolso y siguió a la manicura hasta la mesa. La idea de hacer una visita a la peluquería había sido de Lilah.

—Esta es tu primera cita oficial desde hace años —le había dicho—. Concédete ese capricho.

—Te olvidas de algo fundamental —discutió Elizabeth—. Fantasía abre los sábados por la tarde. No me va a dar tiempo a que me peinen una vez haya cerrado la tienda.

Lilah había considerado el dilema durante un instante antes de responder alegremente:

—Ya sé. Te cuidaré yo la tienda.

Elizabeth no estaba muy entusiasmada con la idea. Cuando

estaba detrás del mostrador en Fantasía, iba vestida de acuerdo con las circunstancias, con colores pastel y llena de encaje, con cierto aire romántico de la centuria anterior. Dudaba que Lilah tuviese ropa de encaje y de colores pastel. Sus pantalones de cuero negros y sus ponchos de estampados llamativos estarían sin duda fuera de lugar. Sin embargo, Lilah había prometido hacer gala de sus mejores modales. Elizabeth habría sido una desagradecida al no haber aceptado aquella oferta tan desinteresada. Así que ahora se encontraba sentada dócilmente en el salón de belleza, mientras la manicura le esmaltaba las uñas. En el fondo, se alegraba de haberse librado de sus múltiples responsabilidades.

Cada vez que pensaba en la velada que le esperaba, le entraban mariposas en el estómago. No había visto a Adam Cavanaugh desde que le había propuesto la cita. Un pajarito le había dicho que estaba en el edificio toda la semana. No podía evitar preguntarse por qué no se había pasado aunque sólo fuera para saludar. Sin embargo, aquella velada no era tan especial para él como lo era para ella.

Había varias razones por las que la cita de esa noche era significativa para ella. Era su primera cita oficial desde la trágica muerte de su marido. Su cita era con un Don Juan contemporáneo. Y era un modo de olvidarse del hombre que vivía en la casa de detrás de la suya. En muy poco tiempo, Thad Randolph se había convertido en un factor inquietante en su vida.

No le gustaba pensar en lo que había visto al descubrirle enfermo en su habitación. Odiaba tener que recordar el aspecto que tenía desnudo en aquella cama, alborotadamente sexy. Cada vez que le recordaba apoyando la cabeza contra su muslo, se le despertaba cierta excitación sexual. Sus palabras de despedida rondaban su cabeza una y otra vez. Se había acordado de ellas en tantas ocasiones que casi deberían haber perdido su impacto. Pero no era así.

Había incluso evitado mirar en dirección a su casa el resto de la semana, aunque había enviado a Matt y a Megan para comprobar que estuviera bien. Sus hijos le habían comunicado que su recuperación iba viento en popa. Entonces, ¿por qué no era capaz de olvidar el incidente y hacer como si no hubiera ocurrido?

Eso es precisamente lo que intentaba cada noche cuando se retiraba a su dormitorio y cogía su cuaderno y un bolígrafo. Lilah le había dado la lata para que escribiese más fantasías de las suyas. Así que para satisfacer a su insaciable hermana y para quitarse el monotema de la mente, se había puesto manos a la obra. El único problema era que los hombres imaginarios de sus fantasías habían empezado a parecerse mucho a Thad. En todo caso, estos románticos productos de su imaginación deberían parecerse a Adam, que tenía una belleza más convencional.

Había retocado las descripciones de sus personajes y les había cambiado el color del pelo para que no se parecieran a Thad de ninguna manera, pero incluso en su fantasía más reciente, el pirata parecía ser una versión más joven de él.

Cuando la manicura acabó con ella, la acompañó al otro lado del salón, donde la esperaba el peluquero para peinarla. Le quitó los rulos y la sorprendió diciendo:

—Echa la cabeza hacia delante. —El peluquero la peinó de abajo hacia arriba con los dedos. Al echar la cabeza de nuevo hacia atrás, su pelo rubio claro se abrió como un abanico sobre su cabeza.

Bueno, eso sí que era un *look* diferente.

Tan diferente que cuando estuvo en casa, sus hijos la miraron.

—Dios mío, mamá, pareces una de las bailarinas de Solid Gold.

—Oh, Dios —dijo ella, quejándose.

Antes de que la señora Alder se fuese, le informó de que la chica de la lavandería la había llamado para decir que había un pequeño problema con su vestido.

—¿Qué tipo de problema? —le preguntó ella, pensando que quizá algún producto químico le habría quemado la ropa.

—No dijo nada, pero estoy segura de que no será nada del otro mundo. Que se divierta.

Sí era algo del otro mundo. Uno de los nuevos empleados de la lavandería le había enviado su único vestido decente a la otra punta de la ciudad a otra señora Burke. Llevaban toda la tarde intentando localizar a la mujer por teléfono, pero no habían conseguido dar con ella.

—Me temo que quizá no podamos devolverle el vestido hasta el lunes.

Cuando Elizabeth colgó el teléfono, estaba tan abatida que decidió llamar a Adam Cavanaugh, dar sus más sinceras disculpas y decirle que no iba a poder asistir a la cita por razones ajenas a su voluntad. Justo cuando estaba a punto de marcar el número del Hotel Cavanaugh, sonó el teléfono.

—Hola, soy yo —dijo Lilah, con su alegría característica—. Te he facturado trescientos setenta y dos dólares en una sola tarde. No sabes lo cansada que estoy. Antes de caer rendida con un vaso de vino, he pensado en llamarte.

—Oh, Lilah. —Elizabeth se apoltronó en la silla más cercana y le contó la faena de la lavandería—. No tengo nada más que ponerme que sea apropiado.

—Bueno, si quieres saber mi opinión, esto es lo mejor que podía haberte pasado. Ese vestido te hace más vieja que la Quica. Ya te traigo yo algo para ponerte.

—¿Quieres decir de «tu armario»?

—Bueno, tampoco hace falta que te pongas así.

Al comprobar que la había herido, Elizabeth se sintió fatal.

—Si te queda genial la ropa. Es sólo que nuestros gustos no coinciden.

—Te traeré mis conjuntos más aburridos.

—Muchas gracias.

—Vaya, finalmente he conseguido que te rieras. No te preocupes. Todo va a salir bien. Haz algo relajante hasta que yo llegue —dijo Lilah con gran teatralidad.

Elizabethe dio permiso a Megan y a Matt para que se calentaran unas galletas precocinadas mientras ella iba al piso de arriba para darse un baño de espuma. Mientras estaba parcialmente reclinada sobre la bañera, escribió la fantasía del pirata cautivo que había soñado esa tarde. Era un *cliché*, pero resultaba divertido. Lilah se lo pasaría bien leyéndola aunque probablemente nunca llegara a publicarse. Le debía un favor a su hermana.

Apenas abrió la puerta del baño, pudo sentir el olor de las galletas quemadas. Con los manuscritos en la mano, echó a correr escaleras abajo para rescatar la bandeja de masa carbonizada de dentro del horno. Megan y Matt se habían ensimismado viendo una película de la televisión y se habían olvidado de poner el temporizador del horno. Mientras los tres estaban sacando humo de la cocina, llegó Lilah.

—¡Tienes el pelo divino! —gritó nada más entrar en la cocina con varias prendas en el brazo—. Pareces una bailarina de Solid Gold. —Los niños se echaron a reír a mandíbula batiente. Elizabeth alzó la vista al cielo—. ¿He dicho algo divertido? —preguntó Lilah.

—Pues, la verdad es que no. —Elizabeth la cogió de la

mano y la llevó al piso de arriba—. Vamos a ver qué ropa estrafalaria me has traído.

Las diferencias de color eran tan sutiles que uno apenas se daba cuenta de ellas. Y el caso es que mientras que a Lilah le sentaban bien los colores llamativos, a Elizabeth le daban un aspecto desvaído. De los vestidos que Lilah había tomado en consideración, eligió un conjunto de dos piezas con una falda plisada larga. La chaqueta llevaba un solo botón y hombreras, además de un enorme cuello que se extendía hasta el dobladillo por la parte de abajo. Era lo bastante elegante y formal para una cena. Su tono rosa era más brillante que los colores pastel a los que estaba habituada, pero su piel no quedaba del todo desprovista de color.

Se miró al espejo de pie desde todos los ángulos posibles.

—Esto me irá bien con los zapatos grises que tenía pensado ponerme. Además, no me queda otra opción. Adam tiene que llegar en unos quince minutos —dijo, consultando el reloj de su vestidor—. Por cierto, ¿dónde está la niñera? Me había dicho que estaría aquí a eso de las siete.

—Voy a echar un vistazo en el piso de abajo —dijo Lilah—. A lo mejor los niños ya le han abierto la puerta.

Elizabeth terminó de vestirse y, tras mirarse al espejo por última vez, apagó la luz de su dormitorio y bajó las escaleras. Podía oír a los demás hablando en la cocina. Al oír el timbre cuando iba por el salón, se alegró de estar a solas para abrir la puerta. Sólo faltaba que sus hijos hicieran algo fuera de tono delante de Adam Cavanaugh. Elizabeth les había pedido expresamente que se comportaran cuando les presentara.

Sacó a relucir una de sus mejores sonrisas y respiró hondo para relajarse un poco. Entonces, abrió la puerta delantera.

—Pero ¿qué estás haciendo tú aquí? —preguntó Elizabeth en un acto espontáneo, sacando por la boca lo primero que se le vino a la mente.

Allí estaba Thad plantado en el umbral de la puerta, sujetando un ramo de rosas envuelto en papel de color verde. Su recuperación era, sin duda, encomiable. No se apreciaba en él esta noche ni rastro de convalecencia. Era la viva imagen de la salud y de la virilidad. A pesar su reacción grosera, Thad esbozó una amplia y cálida sonrisa.

—He venido para darte las gracias por ser tan buena vecina cuando estaba enfermo.

—Ah, eso. Bueno, pues de nada.

Un silencio de hielo se apoderó de la situación. La última vez que habían estado cara a cara, ella tenía dibujada en la cara una sonrisa nerviosa y él sólo llevaba una sábana encima. Ambos recordaban que él había dicho que le hubiera gustado conocer el final de su sueño.

—¿Puedo entrar?

—Por supuesto. —Antes de que cerrara la puerta, Elizabeth echó un vistazo nerviosa a uno y otro lado de la calle, pero no vio ningún coche en las inmediaciones de la casa—. Mis hijos estarán contentos de verte.

—No he venido para ver a tus hijos, Elizabeth.

Su mensaje no daba pie a equívocos. Por mucho que ella hubiese querido interpretar su mensaje de otro modo, el modo rapaz en que la estaba mirando habría servido para dejarlo todo bien claro.

—Las rosas son muy bonitas —dijo nerviosa—. ¿Son para mí?

Él le extendió el ramo de rosas.

—No sabía si te gustaban las rosas.

—Me encantan.

—Ese color era tan suave y femenino que me recordaba a ti.

Tímidamente, Elizabeth comprobó el olor de las rosas blancas. Tenían el borde de un fino rosáceo, como si las hubiesen besado.

—Gracias, Thad. —Al levantar la cabeza, Elizabeth le pilló mirándola con cara de asombro.

—¿Por qué estás vestida tan formal? ¿Vas a alguna parte?

—Bueno, sí, yo…

—¡Thad!

—¡Thad!

Megan y Matt abrieron de un empujón la puerta que conectaba el salón con la cocina. Lilah les siguió y se le pusieron los ojos como platos. No daba crédito al ver a su hermana hablando con Thad. Elizabeth les presentó torpemente, mientras los niños competían por llamar la atención de Thad con el mismo fervor de las animadoras deportivas.

—Encantada de conocerte —dijo Lilah—. Has traído rosas. ¡Qué atento! —Le echó una mirada inquisidora a su hermana.

—Yo, uh, Thad ha estado malo esta semana. Se ha pasado para darme las gracias por, por, uh…

—Por entrar en su casa para ver cómo estaba.

—Sí y no nos dejaba entrar a nosotros de visita porque a lo mejor cogíamos la gripe.

—Pero como ella es una madre y las madres no cogen la gripe, pues ella sí que entró…

—Entró ella sola.

—Él estaba en la cama…

—Y ella le hizo cosas…

—Y él se recuperó.

La explicación de los niños era detallada, aunque dejaba lagunas de tal magnitud que Lilah tenía que rellenar haciendo uso de su imaginación. Echó una mirada especuladora que decía: «Pues sí que te lo tenías callado». Elizabeth pensó que ojalá se la tragase la tierra.

Pero como eso no ocurrió, se dirigió hacia la cocina.

—Perdonadme un momento. Tengo que poner estas rosas en agua.

—Oh, Lizzie, tienes un problema.

—¿Otro?

—Uno bastante grande. La niñera no va a venir.

—¿Qué?

—Odio tener que decírtelo, pero ha venido su hermano pequeño en bicicleta y ha dicho que te dijera que tiene la gripe.

—Debe ser el mismo virus que anda por ahí —dijo Thad por el rabillo de la boca, mientras seguía aún riéndose de la historia que habían contado los niños y de la reacción de su madre, avergonzada.

Elizabeth deseaba que se fuera a su casa. Maldita sea. ¿Por qué había vivido detrás de ella todo este tiempo y tenía que elegir precisamente aquella noche, de todas las noches posibles, para llamar a su puerta con un ramo de rosas? Y con Lilah en casa. Y, encima, cuando Adam estaba a punto de llegar de un momento al otro. Exasperada, se mordió el labio inferior.

—Voy a llamar a la señora Alder. —Elizabeth volvió para ir de nuevo hacia la cocina de nuevo. Pero Lilah, como de costumbre, se le había adelantado.

—Ya la he llamado yo. Está trabajando en otra casa esta noche.

—¿No huele a quemado? —preguntó Thad de repente.

—¡Las galletas!

Lilah, Megan y Matt todos dieron ese grito al mismo

tiempo y se apresuraron a entrar a la cocina, seguidos de Thad y de Elizabeth. Un humo denso salía del horno.

—Lilah, ¿cómo has podido permitir que pase esto de nuevo? —gritó Elizabeth.

—Ya sabes que no sé cocinar.

—¿Pues para qué te pones a hacer galletas?

—Para que los niños estuvieran ocupados y así quitártelos de en medio mientras tú te preparabas para tu súper cita.

Mientras ellas se gritaban, Thad recogió con calma los restos carbonizados del horno.

—¿Una súper cita?

Su mirada inquisidora atravesó la nube de humo para posarse sobre Elizabeth. Ella alzó la barbilla a la defensiva. No le debía ninguna explicación por muy acusadora que fuese la expresión de su cara en ese momento.

Aunque, a decir verdad, todo su plan para la noche estaba en el aire. No iba a tener lugar ninguna súper cita.

—Supongo que no podré ir. A no ser que... —Elizabeth miró a Lilah, expectante.

—Lo siento, Lizzie, pero yo no puedo.

—Por favor, Lilah. Siento tener que pedirte dos favores seguidos en un día, pero sabes lo importante que es para mí esta noche.

—No es que no quiera. Es que realmente no puedo. Tengo la fiesta de cumpleaños de una de mis pacientes. Le prometí que estaría allí. Le rompería el corazón si faltase.

Elizabeth se encogió de hombros y le sonrió comprensiva. Por muy exuberante que pareciera Lilah, en el fondo estaba totalmente entregada a sus pacientes de fisioterapia.

—Por supuesto, tienes que ir. Bueno, supongo que eso quiere decir que...

—Ya me quedo yo con los niños.

Aquellas palabras fueron pronunciadas con suavidad, pero tuvieron un fuerte impacto en todos los allí reunidos. Lilah miró a Thad complacida. Elizabeth le miró a los ojos con la boca abierta. Los niños se precipitaron hacia él y a punto estuvieron de tirarle al suelo con el revuelo que armaron.

—Muchas gracias, Thad.

—¿Podremos darle un baño a Baby? A mamá no le gusta que lo hagamos, porque dice que llenamos el baño de agua.

—¿Jugarás con nosotros?

—¿Podremos estar despiertos hasta tarde?

—¿Sabes hacer pizza?

Él respondió a todas y cada una de sus preguntas sin dejar de mirar a Elizabeth a los ojos.

Lilah intercedió, asumiendo la responsabilidad de mediadora diplomática por primera vez en su vida. No hacía falta que nadie le especificase que su hermana y Thad necesitaban hablar a solas unos instantes.

—Vamos, niños. Tengo que irme a mi fiesta de cumpleaños. Ayudadme a cargar con toda esa ropa del piso de arriba.

—¿Vas a quedarte con nosotros, Thad? —le preguntó Megan ilusionada.

—Sí, me quedaré.

Matt y ella se regocijaron de alegría antes de seguir los pasos de su tía fuera de la cocina. Elizabeth y Thad seguían mirándose el uno al otro. Finalmente, ella dijo:

—¿Estás seguro de que no te importa, Thad?

Su mirada le decía que sí que le importaba. Quizá no el tener que quedarse con los niños, sino más bien la idea de que tuviese una «súper cita», que no acababa de sentarle muy bien. No obstante, su tono de voz fue bastante comedido cuando dijo:

—Te debo un favor, ¿no?

—No sabes cuánto te lo agradezco.

Thad asintió con la cabeza. Tenía el aspecto de quien está haciendo todo lo posible por contener sus emociones.

—Ve —dijo él, mientras le señalaba con la cabeza las escaleras para que subiera a prepararse—. Acaba de peinarte para así estar lista cuando él llegue.

—Ya estoy peinada.

Thad la miró boquiabierto.

—¿Se supone que el peinado es así?

Elizabeth agitó los rizos cardados indignada.

—Llevo espuma y laca.

—¿Qué es *espumilaca*?

Antes de que le diera tiempo a solucionar su ignorancia de peluquería y moda, sonó el timbre.

—Ese debe de ser él.

Elizabeth se dio la vuelta y abrió la puerta, esperando que Thad tuviese la cortesía de quedarse escondido en la cocina. Pero no siempre los deseos se hacen realidad.

A la segunda llamada, Elizabeth abrió la puerta. Adam tenía una sonrisa de oreja a oreja, que más que darle el efecto afable deseado, lo colocaba en el ojo de un huracán. Y es que, sin saberlo, estaba en el centro de una tormenta que se avecinaba.

—Hola, Adam. Pasa.

—Siento el retraso. Me pasé de casa la primera vez y tuve que dar toda la vuelta a la manzana antes de...

Su voz se apagó a media frase al ver a Thad, que estaba apoyado contra el marco de la puerta del comedor. Con los tobillos entrelazados y cruzado de brazos con toda naturalidad, parecía un cateador que acaba de hacer un hallazgo de minerales. Hasta hacía quince minutos, no había puesto nunca un pie en su casa. En cambio, ahora parecía que hubiera estado allí toda la vida.

Elizabeth carraspeó nerviosa mientras los dos hombres se evaluaban mutuamente.

—Adam, te presento a mi vecino, Thad Randolph.

Adam dio un paso al frente. Thad se empujó a sí mismo contra la pared. Se dieron un inevitable apretón de manos.

—Thad me está ayudando esta noche con los niños. La niñera ha avisado a última hora de que no podía venir, así que... —Elizabeth se encogió de hombros a la espera de que su cita entendiera la situación y pudiera rellenar el resto de la explicación por sí mismo.

—Oh, ya veo. Bueno, pues bien. Gracias, Randolph.

Su sonrisa helada no perturbó lo más mínimo a Thad, que respondió impávido:

—De nada.

Adam le extendió a Elizabeth un ramo de flores.

—Son para ti.

Elizabeth las cogió.

—Gracias. Son... son maravillosas.

En ese instante, los niños bajaron las escaleras a todo trapo. Como si fueran dibujos animados, frenaron en seco al ver que Adam Cavanaugh había llegado. Se dirigieron a él con la adecuada deferencia. Elizabeth les presentó.

—Hola, señor Cavanaugh —dijo Megan educadamente.

—Hola, señor Cavanaugh —repitió Matt.

Elizabeth dio un hondo suspiro aliviada. Sus pequeños retoños habían superado la prueba sin grandes sobresaltos.

—Esas flores son iguales que las que te ha traído Thad, mamá. Debe de haberlas comprado en el mismo lugar.

—Podía haberle matado.

Ahora, era sencillo reírse de lo que Matt había dicho unas horas antes. Sin embargo, en el momento, no había tenido ninguna gracia. Elizabeth habría preferido que se la hubiera tragado la tierra.

Adam le sonrió desde el otro lado de la mesa, sobre la que había velas encendidas.

—Sabía que te había puesto en un aprieto, pero yo me lo tomé con sentido del humor. —Agitó su copa de brandy—. No puedo decir lo mismo del señor Randolph. No me pareció que le hiciera ninguna gracia.

—Oh, no te preocupes por él —dijo Elizabeth agitando la mano con aire despreocupado—. En realidad, es muy amable. Y es estupendo con mis hijos.

—¿Sólo con tus hijos?

Elizabeth bajó la mirada rápidamente.

—Nosotros, Thad y yo, sólo somos buenos amigos. —¿Acaso no era así? Pues entonces, ¿por qué se había sentido tan culpable al recorrer el camino desde la puerta de su casa hasta el elegante coche extranjero de Adam, aparcado al lado de la acera, mientras dejaba a Thad atrás haciendo de niñera? No tenía por qué sentirse mal al respecto. ¿Acaso no se había prestado él voluntariamente a cuidar a los niños? Ella no había tenido que insistirle para que lo hiciera.

Adam era lo bastante caballeroso como para no ahondar en el tema hasta el punto de invadir su intimidad. Se limitó a hacer un gesto al camarero que esperaba de pie al lado de la mesa para que rellenase de café las tazas. Adam era un caballero en todos los sentidos. Elizabeth se había temido que después de una entrada tan desafortunada, la velada se hubiera estropeado. Tenía que reconocerle el mérito de haber sido capaz de darle la vuelta a la tortilla. Había sido afable, encantador y se había tomado muy bien toda aquella historia.

—He pensado que podríamos echarle un vistazo a la competencia esta noche. —Le había dicho de camino a uno de los restaurantes más sofisticados de la ciudad—. He pensado en contratar al chef de este restaurante y ponerlo a trabajar en uno de mis hoteles. Vamos a hacerle una prueba secreta.

La cena había sido todo un éxito. Había pedido un vino que iba bien con el primer plato. Los aperitivos habían sido muy sabrosos, las salsas sublimes, las verduras frescas y el postre suntuoso. Adam había conducido la conversación hacia una inmensa variedad de temas, que ella también había encontrado interesantes. La había invitado a bailar en la pista y ambos parecían moverse bien juntos.

Cuando él le echó un piropo por su talento en el baile, ella se explicó:

—Recibí lecciones de baile hasta el bachillerato. Me encantaba.

—¿Y tu hermana?

La animosidad que había surgido entre Lilah y Adam la primera vez que se habían visto se había reavivado al encontrársela bajando las escaleras en casa de Elizabeth. Habían intercambiado un saludo de cortesía, pero su antipatía mutua era palpable.

—A Lilah no le gustaba bailar —le dijo Elizabeth—. Ella estaba más por los deportes.

—El fútbol y el jockey sobre hielo, sin duda.

Elizabeth se echó a reír.

—No, más bien el tenis, el béisbol, el senderismo. Ella era siempre mucho más competitiva que yo. Tenía un punto más masculino.

—No me cabe la menor duda —había dicho él en voz baja, mientras la llevaba hacia la mesa.

Ahora, mientras tomaban el café, Elizabeth se preguntaba cómo terminaría aquella tranquila velada. No le quedaba mucho tiempo para averiguarlo. Mientras esperaban a que el trabajador del aparcamiento les sacara el coche, Adam la cogió del brazo.

—¿Tienes que volver a casa pronto?

Sentía aún en su interior el calor del buen vino, de la deliciosa comida y del rico postre. Sus sentidos vibraban como las cuerdas de un violín bajo el toque magistral de un maestro. Su acompañante era un hombre apuesto del estilo de una estrella de cine y le sonreía con un inequívoco aire seductor. Ella se sentía atractiva, exaltada y alegre. Por una vez en su vida, le apetecía ser imprudente, perder los papeles en una historia de amor.

Lo encontraba fácil de decir:

—No, Adam. No tengo que volver a casa pronto. ¿Por qué lo dices?

—¿Has visto alguna vez el ático donde vivo cuando estoy en la ciudad?

Elizabeth tragó saliva y respondió bruscamente.

—No.

—¿Te gustaría?

Capítulo 8

—Gracias de nuevo, Adam. Me lo he pasado muy bien.

—El gusto ha sido mío. Buenas noches, Elizabeth. Nos vemos pronto.

Adam le dio un beso en la frente. Ella le sonrió por última vez y, entonces, entró por la puerta delantera de su casa. El salón estaba a oscuras. A tientas, dio unos pasos hacia la lámpara más cercana, pero antes de llegar, oyó la voz de Thad entre la oscuridad.

—¿Te lo has pasado bien?

—¡Dios mío! —exclamó ella—. ¡Me has asustado! —Al encender la lámpara, se lo encontró despatarrado sobre el sofá. Se había quitado las botas, que estaban en el suelo. Su chaqueta de sport estaba tirada sobre el reposabrazos de la butaca. Llevaba la camisa aún metida por dentro del pantalón y estaba desabrochado hasta la cintura.

—¿Te lo has pasado bien? —repitió él a regañadientes.

No se lo preguntaba por curiosidad. Ni tampoco para mostrar un interés educado. Su voz no era más que un gruñido. En su actual estado de ánimo, Elizabeth se lo tomó como una ofensa. Sentía su ego dañado, pero no iba a permitir que él lo notara. Además, su vida personal no era para nada asunto suyo.

Elizabeth le ofreció su mejor sonrisa y dijo:

—Me lo he pasado genial. —Para enfatizar lo que decía puso en escena un pequeño escalofrío que provocó que él frunciera el ceño.

—¿Qué haces ahí sentado a oscuras?

—¿Qué tiene de malo la oscuridad?

—Nada. ¿Por qué no estás en el cuarto de estar viendo la tele?

—Porque no me apetecía.

En aquel preciso instante, Elizabeth no se sentía muy atraída por él. Le molestaba que estuviese tirado de cualquier manera en su sofá, que llevase la camisa abierta y, sobre todo, le molestaba lo que llevaba en la mano apoyado sobre la barriga. Un vaso de whisky.

Thad se dio cuenta de lo que miraban sus ojos y la saludó con el vaso para provocar.

—¿Te apetece tomarte una última copa conmigo antes de ir a la cama?

—No.

—Espero que no te importe que me haya tomado la libertad de servirme una.

No le importaba. No era la copa lo que le molestaba. Lo que sí que le importaba era que se comportara como la persona normal y afable que solía ser. Estaba tan rudo como un pendenciero callejero cualquiera. Pero ¿por qué? ¿Acaso se arrepentía de haber hecho de niñera para ella? Pero lo que más le molestaba era que seguía estando atractivo a pesar de su agresividad. Quizá incluso más.

Dejó caer su bolso sobre el escabel delante de la silla.

—No, no me importa que te hayas servido una copa. ¿Te han dado algún problema los niños?

—No, en absoluto. ¿Y tú le has dado algún problema a Cavanaugh?

Ella le miró fijamente a los ojos azules, llenos de censura.

—No me gusta tu tono de voz, Thad.

Él se irguió sobre el respaldo y posó su vaso de golpe sobre la mesa de café. Se le abrió la camisa, dejando al descubierto el mismo pecho musculoso, peludo que ella estaba intentando evitar con la mirada.

—Bueno, pues peor para ti, Elizabeth. Porque este es el tono que vas a escuchar esta noche.

—Te equivocas. No voy a escucharte en absoluto. —Elizabeth se levantó de la silla—. Te agradezco el favor que me has hecho esta noche. Gracias. Ahora creo que será mejor que te vayas.

Elizabeth se propuso llegar a la puerta delantera para abrírsela. Pero no lo consiguió. En cuanto le dio la espalda, él se levantó del sofá con la agilidad de una pantera y la cogió del brazo. De un tirón, la hizo volverse para tenerla de cara.

—¿Sabes qué hora es?

Su comportamiento agresivo la dejó perpleja, de manera que por un momento le pareció que la pregunta estaba fuera de contexto. Sin embargo, luego ella se dio cuenta de que lo decía con retintín.

—Cerca de la una y media, creo —respondió ella suavemente—. ¿Por qué? ¿Tienes el reloj roto?

Thad apretó la mandíbula con furia y uno de los músculos de la cara se puso a temblar peligrosamente.

—¿Por qué has vuelto a casa tan tarde? ¿Qué has estado haciendo todo este tiempo con Cavanaugh?

—Cenar.

—¿Durante seis horas?

—Baja la voz. Vas a despertar a los niños.

Thad bajó la voz, pero sólo para repetir las mismas palabras con tono acusador.

—Nunca he estado en una comida que durase seis horas.

—Después de la cena fuimos a bailar.

Un baile en una pista tan pequeña como una caja de cerillas apenas podía ser considerado un baile, pero aunque sólo fuera por fastidiarle quería que Thad pensase que Adam y ella se habían pegado un garbeo por las discotecas de la ciudad.

Él la miró desdeñoso.

—¿A bailar?

—Sí, a bailar. A Adam le gusta bailar tanto como a mí.

—¿Y después de eso qué hicisteis? ¿Adónde fuisteis? —Deliberadamente, Elizabeth bajó la mirada, intentando con todas sus fuerzas aparentar la frustración que realmente sentía ante su insidiosa pregunta—. Os fuisteis a su habitación, ¿verdad?

—¿A su habitación? ¡Ja! Esa palabra se queda corta a la hora de describir el ático en el último piso del Hotel Cavanaugh.

La tersa piel de las mejillas de Thad se tensó aún más. Sus ojos, llenos de rabia, estaban encendidos de celos. La miraban fijamente a la cara, mientras él decía sibilante:

—Te has acostado con él.

Ella dio un tirón para liberar su brazo.

—Eres mi vecino, Thad, y hasta hace pocos minutos pensaba que eras mi amigo. Lo que nunca has sido es mi confesor. —Elizabeth respiró hondo—. Ahora, por favor, vete de mi casa.

Ni siquiera se quedó para esperar a que saliera. Tras coger su bolso, le dio la espalda y se fue escaleras arriba. Entró de puntillas en la habitación de cada uno de sus hijos y se sintió aliviada al comprobar que no se habían despertado durante la discusión.

En el mismo instante en que entró en su habitación, se miró al espejo y comprobó lo acaloradas que tenía las mejillas. La acusación de Thad no la había hecho sonrojarse por acercarse demasiado a la realidad, sino más bien por alejarse de ella.

Se quitó los zapatos y se sacó el vestido de Lilah. Lo colgó en la percha de su funda, lo colocó en el armario y terminó de desvestirse. Después de ponerse el camisón por la cabeza, se dirigió a su vestidor y se miró al espejo. Entonces, dijo:

—Eres una sirena, Elizabeth Burke.

El camisón iba a tono con su estilo. También parecía de otra era. Era de algodón blanco con escote y las mangas tenían volantes en torno a las muñecas. También la falda llevaba volantes. Estaba pasado de moda y era un tanto extraño... igual que ella. O, al menos, eso parecía pensar todo el mundo.

Con una sonrisa irónica, cogió su cepillo del pelo y lo utilizó para destruir el peinado de treinta dólares que le quedaba fuera de lugar. Mientras lo hacía, se echó a reír, recordando cómo sus pies parecían flotar sobre el suelo enmoquetado cuando había salido del ascensor camino del ático.

Ella se había pensado que estaba a punto de vivir una de esas fantasías de sus sueños. Se había casado virgen con John Burke. Él era el único hombre con el que se había acostado. Incluso su propia hermana lo encontraría difícil de creer, pero era cierto.

Esta noche había pensado que por qué no unirse al resto de la raza humana. ¿Por qué no aprovechar la oportunidad cuando se le presentara? Eso sin hacer juicios de valor. Sin ninguna consideración por las consecuencias. Simplemente, dejándose llevar por la corriente. Bastaba disfrutar de un encuentro sexual sin mayor intención que disfrutar del placer físico que podría reportar. Decir adiós a Sandra Dee, como decía aquella vieja canción norteamericana.

Sandra Dee era aburrida. Elizabeth estaba preparada para hacer de niña mala por una vez. Las niñas malas se divierten. Estaba harta de ser doña perfecta, porque doña perfecta era aburrida, aburrida. Cada día, vendía una mercancía relacionada con el romance, pero siempre era para el romance de otra persona, nunca para el suyo propio.

El único momento en que se desinhibía y dejaba a un lado sus impedimentos morales era durante sus fantasías. Como resultado, la vida se le estaba pasando por delante. Los años iban a escapársele entre las manos. No se le ocurría nada más patético que una anciana perdida en su mundo de fantasía sin ningún sustento, ni siquiera el recuerdo agridulce de algún romance real.

De manera que cuando Adam Cavanaugh le había abierto la puerta de su ático y la había invitado a entrar, ella había entrado como flotando, deseosa de probar la fruta prohibida de la sexualidad moderna.

Pero nada más lejos de la realidad.

Adam se había mostrado apasionado, sí. Pero apasionado... por el nuevo hotel que estaba construyendo en Chicago. Él la había llevado al dormitorio con los ojos brillantes ante la promesa.... de enseñarle una maqueta de su nuevo hotel. Su voz temblaba de deseo... de ver que aquella maqueta se hiciera realidad. Se había mostrado orgásmico... sobre la perspectiva de incluir esta última adquisición en su cadena de hoteles.

Después, se habían tomado un café con pastas danesas, que él mismo había encargado al servicio de habitaciones.

Sonriendo nostálgica ante su propia ingenuidad, Elizabeth posó el cepillo del pelo y se retiró del espejo. Al hacerlo, alguien llamó a la puerta con suavidad.

—Pasa, cariño —dijo ella.

Thad Randolph entró en su habitación y cerró la puerta tras él. Se oyó cerrar completamente. Elizabeth se lo quedó mirando petrificada.

—¿A quién esperabas? ¿A Cavanaugh?

Recuperándose rápidamente del susto, Elizabeth espetó:

—En realidad, esperaba que fuera uno de mis hijos. No me imaginaba que ibas a tener la desfachatez de recorrer mi casa a hurtadillas en plena noche, sobre todo después de haberte dicho que te fueras.

—No había acabado de decir todo lo que tenía que decir.

—Bueno, yo sí que había oído todo lo que tenía que oír.

—¿Como por ejemplo lo irresponsable que estás siendo? Yo me habría esperado más de una mujer como tú.

—¿Esperarte más de qué? ¿Y a qué te refieres con eso de «una mujer como» yo? ¿Qué es lo que me hace diferente del resto?

—La discreción. La decencia. Y la inteligencia. Ya sabes que Adam Cavanaugh es un *playboy*. ¿O no lo sabes? No tienes nada que hacer con un tipo como él. Es de los que sabe conseguir lo que se propone.

—No es ningún *playboy*. Es un caballero en el mejor sentido de la palabra.

Thad se acercó más a ella. A Elizabeth le dio la impresión de que estaba hablando en voz baja para no despertar a los niños, cuyas habitaciones se encontraban en el lado opuesto del hall. También detectó el olor a licor en su aliento. Parece ser que se había pasado todo ese rato en el piso de abajo saciando su rabia con otra bebida.

—Si actuaba como un caballero es sólo porque sabía que eso es lo que hacía falta para llevarte a la cama. Pero lo único que le diferencia de los chulos que recorren las calles ligándose a todo lo que pillan es el precio de su traje. ¿O es eso lo que te tiene perdida? ¿Su dinero?

—¡En absoluto! Me gusta él. Es interesante y...

De repente, se le vino a la mente que no tenía por qué dar explicaciones de nada a Thad Randolph. Una salida amañada por sus hijos para un Festival de Otoño de su escuela elemental no le daba ningún derecho a exigir nada. Elizabeth se llevó las manos a la cintura.

—¿Qué crees que te da derecho de examinarme de este modo, señor Randolph? —Entonces, adoptando la postura provocadora que toda mujer coqueta lleva dentro, ladeó la cabeza y parpadeó para dar juego a sus sinuosas pestañas con el garbo característico de las mujeres del sur—. ¿O es que ahora te preocupa que conserve mi virtud? ¿Acaso me estás sermoneando por mi propio bien?

Nunca había oído pronunciar en voz alta la palabra que él dijo entonces. Le retumbó en los oídos. Aquel improperio tan vulgar resultaba particularmente asombroso proveniente de alguien tan bien hablado como el afable señor Randolph. Por eso, permaneció inmóvil, como si la hubieran clavado al suelo, mientras él se precipitaba hacia delante y la cogía de los hombros, sacudiéndola ligeramente.

—Maldita sea, Elizabeth, no sabrías discernir lo que es bueno para ti ni siquiera si yo fuera y... y... oh, al demonio con todo.

Thad acercó su boca a la de ella. Le dio un beso voraz, posesivo y salvaje, que la enfureció. Elizabeth levantó las manos y las puso contra su pecho. Al hacerlo, se encontró con su piel desnuda, lo cual la desconcertó. A pesar del susto inicial, intentó empujarle con garbo.

En cambio, no había quien lo moviera. Ni tampoco quien le negara nada. Cuando ella consiguió liberar sus labios y apartar la cabeza, él la cogió del pelo con todos los dedos de ambas manos y mantuvo su cabeza cautiva, inutilizada, inmóvil.

—Devuélveme el beso, maldita sea.

Thad empujó la lengua dentro de su boca con rapidez y lleno de seguridad. Su violación era tan absoluta, tan irrevocable, que era para ella como experimentar la pérdida de la virginidad por segunda vez. Movida por un acto reflejo, arqueó su cuerpo contra él. Sus dedos se doblaron hacia dentro, aunque casi sin arañar lo más mínimo los músculos que tenían debajo. Su camisón era transparente, un insignificante escudo contra su virilidad. Toda su furia y su frustración parecían estar concentradas en sus muslos y en la parte inferior de su cuerpo. Estaba duro como una piedra a medida que se apretaba contra su entrepierna.

Pero más penosa que su actitud posesiva fue su reacción ante ella. Una nube de sensaciones irradiaba desde la parte superior de sus muslos hasta las puntas de los pies. Ella intentaba luchar contra esta respuesta involuntaria.

—Detente, por favor. Thad.

Su respuesta fue la de cogerla en brazos y llevarla a la cama, donde la dejó caer sin grandes miramientos. Este revés de su personalidad cándida la dejó tan sorprendida que no podía ni moverse. Se quedó allí tumbada y le miró a los ojos incrédula mientras él se quitaba la camisa y se desabrochaba la hebilla del cinturón.

—¿Qué estás haciendo?

—Me parece que es bastante obvio. —Se desabrochó el cinturón y se bajó la cremallera de los pantalones, aunque sin quitárselos. En lugar de eso, se acercó hacia la cama. Intentando luchar contra la tentación de mirar hacia la mata de pelo negro que sus pantalones habían dejado al descubierto, Elizabeth se acobardó ante él y se apoyó contra el cabezal de la cama. Con una sonrisa triunfante, él bajó una mano hacia ella, la cogió de la muñeca y, de un tirón, la hizo ponerse en pie con tal brusquedad que le repicaron los dientes.

Entonces, colocó las palmas de sus manos contra la espalda de la joven, deslizó sus dedos sobre su trasero y la apretó contra él. Agachando la cabeza, su boca buscó una vez más los labios evasivos de Elizabeth. Como se resistía a satisfacer sus silenciosas exigencias, le puso una mano en la cara y apretó su mandíbula entre sus dedos. Con sus labios hizo que ella abriera la boca.

Elizabeth dio un gemido, primero presa de la rabia, después como signo de su impotente rendición, mientras Thad introducía su lengua en su boca con una cadencia tan sexual que sintió como si se le derritieran los huesos.

Él se percató de su rendición al momento. Su lengua abandonó su empeño saqueador y se convirtió en la de un amante, que le acaricia la boca hasta el éxtasis. Gradualmente, Elizabeth cesó en su lucha, su cuerpo se relajó y se hizo maleable, amoldándose al de él, cambiando de forma para ajustarse a sus acerados contornos masculinos.

—Elizabeth —gimió él—. Dios mío, Elizabeth.

Thad acercó su boca entreabierta a su cuello. Su mano buscó y encontró los botones de su camisón, que se resistían testarudamente a ser desabrochados. Al estar excitado, tenía más fuerza de lo habitual, algo que el corpiño delicadamente colocado de Elizabeth no podía resistir. El sonido del tejido roto se unió al de la acelerada respiración de ambos. El camisón cayó al suelo, creando una burbuja de aire alrededor de sus tobillos al aterrizar.

Sus labios entreabiertos siguieron la curva de su pecho. Entonces, él levantó la cabeza y devoró su desnudez con la mirada. Le acarició un pecho y jugueteó con su oscuro pezón hasta que se puso duro. Gimiendo agradecido, agachó de nuevo la cabeza y se lo chupó con la lengua, una y otra vez, hasta que Elizabeth tuvo que sujetarse a él para no perder la cabeza.

Thad la cogió entre sus brazos. Sólo que esta vez, cuando la colocó sobre la cama, lo hizo con extremada suavidad. Sus ojos estaban encendidos de pasión, no de ira. Su cara estaba llena de deseo, no de animadversión.

Ella alzó la vista para mirarle a los ojos confundida, mientras él se retiraba de la cama y se quitaba los pantalones y los calzoncillos. Cuando se acostó al lado de ella, estaba desnudo. Y caliente. Y era peludo. Y masculino. Y maravilloso.

La cogió de la mano y se la llevó a los labios. Le besó la palma de la mano y después se la colocó sobre su propio sexo. Quería que se familiarizase con la dimensión, la energía y la fuerza de su deseo por ella.

—Esto es lo que me da derecho a preguntarte, a saber. ¿Te has acostado con Cavanaugh esta noche, Elizabeth?

—No. Por supuesto que no.

Él se la quedó mirando fijamente a los ojos en busca de signos de mendacidad, pero sólo vio en ellos las amplias vibraciones del deseo. Entonces, le dio un beso hambriento e intricado en su dispuesta boca. Su sexo se engrandeció aún más cuando ella lo acarició. La abrió de piernas y se colocó con firmeza entre sus muslos.

De un solo golpe, largo y lento, la penetró rozándose contra las paredes de su cuerpo. Elizabeth, asombrada de su grandiosa fuerza, echó las rodillas hacia arriba para amoldarse a él. Dio un gemido de sublime satisfacción y enterró su cara en la nube perfumada de su pelo, que tenía extendido sobre la almohada.

Aunque parecía imposible, la penetraba con mayor profundidad a cada golpe. Sentía sus ágiles contracciones contra sus manos, que le apretaban contra ella con avaricia, como si lo quisiera sentir más cerca y más arriba. Entonces, la besó en las orejas, en el cuello y, a medida que aceleraba el ritmo de sus penetraciones, en la boca.

Tras unos instantes, ella le sujetó la cabeza y la mantuvo alejada de ella. Elizabeth tenía la respiración entrecortada, sus sonrojados pechos subían y bajaban cada vez que respiraba hondo.

—No tienes que esperarme, Thad.

Él pareció sorprendido en un primer momento y después sonrió con ternura:

—Pues claro que voy a esperarte.

—No, de verdad. No tienes que hacer eso por mí.

—No lo estoy haciendo por ti —dijo él con la voz quebrada—. Lo estoy haciendo por mí.

Elizabeth dio un pequeño gemido cuando él deslizó la palma de sus manos por debajo de su cintura. Thad frotó su cara contra sus pezones una vez, dos, dejando que ella sintiese sus mejillas, su barbilla, su nariz y su lengua contra ellos.

Con su siguiente penetración profunda, el cuello de Elizabeth describió un arco involuntario y se dejó perder en aquel espléndido ritual de apareamiento. Su cintura respondió a los dedos que la apretaban. Apretó su cuerpo contra el de él. Quería más, siempre más.

Y cuando se apoderó de ella una ráfaga de sensaciones tan intensa que no pudo contener, se mordió el labio inferior para reprimir un grito de placer. Su inmensidad se hizo patente cuando sintió, en su interior, el *staccato* espasmódico que le produjo la retirada de Thad.

Ninguno de los dos sabía si llevaban segundos, minutos u horas tumbados totalmente relajados. Thad fue el primero en moverse. Se apoyó contra un codo y bajó la vista para mirarla.

—Eres una belleza —dijo él, con la respiración aún entrecortada.

—¿Eso crees?

—Oh, sí —dijo él arrastrando las palabras, mientras sonreía y asentía con la cabeza.

Sus detenidas caricias iban al compás de su entonación. La acarició con el dedo índice sobre la barbilla y el cuello, antes de continuar por la clavícula. Desde ahí, deambuló sobre sus pechos, siguiendo sus sinuosas curvas hasta adentrarse en su canalillo, donde siguió el recorrido de una leve estría blanca.

—Es que he sido madre dos veces —le recordó ella, como si quisiera justificarse.

Él se limitó a suspirar de placer.

—Eso es cierto.

A ritmo lento, Thad pasó la yema de su dedo alrededor de cada uno de sus pezones hasta que respondieron poniéndose erectos. Acercó su boca hasta uno de ellos, lo acarició con la lengua y, entonces, cerró sus labios alrededor de él y lo chupó suavemente. Elizabeth dio un gemido.

—¿Te gusta? —preguntó él, moviendo sus labios sobre su refulgente tez.

—Sí.

—Bien. A mí también. Y mucho. —Acercó la boca al otro pezón y lo acarició con la suficiente fuerza como para darle placer, pero con la suficiente ternura como para prevenir el dolor. Apretó sus dientes contra el pezón y tiró de él suavemente con los labios—. Con esto estaba yo soñando cuando me despertaste el otro día. Estaba jugando a hacer el amor con tus dulces pechos.

—Algo así me habías dicho.

—He tenido unos sueños maravillosos sobre ti últimamente, pero nunca me habías sabido tan bien en ninguno de ellos. Y nada en mis sueños sabía tan bien como esto.

Elizabeth siempre había pensado que John Burke había sido un hombre muy romántico. Sin embargo, comparado con su ex marido, Thad era Cyrano de Bergerac. Tenía el alma de un poeta, pero el apetito carnal de un sultán.

—Eres un buen amante, Thad. ¿No crees?

Alzó la vista para mirarla a los ojos, pensando que lo decía de broma en un principio. En cambio, cuando se percató de que iba en serio, respondió encantado.

—He recibido muy pocas quejas de las mujeres con las que he estado.

—¿Y con cuántas has estado? —Arrepentida de esas palabras cuando ya era demasiado tarde, volvió la cabeza y la enterró en la almohada—. Lo siento, olvida que te he preguntado eso. No tengo ningún derecho.

Tras una pausa prolongada, Thad dijo con voz suave:

—El picardía lo compré para ti. —Elizabeth volvió la cabeza y se lo quedó mirando, enmudecida de la sorpresa—. Eso es. Para ti. No hay ninguna otra mujer ahora mismo. —Le recolocó el pecho por la parte de abajo para abarcarlo mejor con la mano y lo acarició mientras hablaba—. Cuando volví de Vietnam, mi prometida me había dejado por otro. En realidad, me había dejado mucho tiempo antes de que yo volviera, pero tuvo el detalle de no escribirme para contármelo.

»Desde entonces, sólo he tenido relaciones cortas. Sacaba de estas relaciones lo que me servía, aportaba lo justo para tener la conciencia tranquila y lo dejaba cuando me daba cuenta de que el deseo era lo único que teníamos en común aquella otra persona y yo. No soy ningún santurrón. Tampoco nunca he pretendido serlo. Así que sí. He estado con muchas mujeres.

»Pero nunca quise perder la cabeza por ninguna mujer, porque, francamente, me gustaba estar soltero. Y —añadió, encogiéndose de hombros— me imagino que quizá también tenía miedo de enamorarme y de que me volvieran a dejar tirado. De todas maneras, me gustaba mi vida tal y como era.

»Entonces, me mudé aquí. Tus hijos eran tan encantadores que empecé a replantearme mi estilo de vida. De vez en cuando me da por pensar en tener hijos propios.

Thad respiró hondo.

—Y, entonces, por supuesto, allí estabas tú. A menudo me sorprendía a mí mismo mirando entre los árboles al oír que estabas aparcando tu coche en la entrada. Cada vez que salías al jardín de atrás, me inventaba excusas para salir también yo y así poder echarte un vistazo para comprobar si efectivamente eras tan guapa como parecías desde lejos. Sin embargo, nunca entablabas conversación conmigo, así que yo me limitaba a dejar las cosas como estaban. Cuando me encontraba solo, me recordaba a mí mismo lo afortunado e inteligente que era por no implicarme.

»Doy gracias a la providencia por haber dejado atrapado a ese gatito en la rama del árbol. Eso me dio la excusa perfecta para acercarme a ti. —Le pasó el dedo por encima de la mejilla—. En el mismo instante en que te miré a la cara, se me fue la cabeza. Y cada vez que te he visto desde entonces, he querido estar en la cama contigo, haciendo esto.

Bajó el tono de voz, que ahora era el de un seductor.

—La noche que te encontré al lado del aspersor de agua, tuve que contenerme para no hacerte el amor contra el muro.

—¿Y por qué no lo hiciste?

Él se quedó visiblemente sorprendido.

—¿Me lo habrías permitido?

—Sinceramente, no lo sé. ¿Por qué no lo intentaste al menos?

Sus ojos tenían un aspecto turbulento, como si estuviera luchando contra la decisión de si decírselo o no. Finalmente, la miró fijamente a los ojos y dijo:

—Porque entonces pensaba que sólo quería poseerte sexualmente. Y tú te merecías algo mejor.

Elizabeth miró hacia otra parte. Su exceso de honestidad era irritante.

—¿Entonces, para qué viniste a la tienda al día siguiente?

—No podía aguantarme sin verte. Quería volver a verte bajo la luz del día para convencerme de que eras real. Y lo eras. —Se reclinó sobre ella y le plantó un sólido y ardiente beso en la boca—. Vaya si lo eras.

Tras otro largo beso, Thad prosiguió:

—Así que allí estaba yo en Fantasía, convencido de que te quería, pero inseguro sobre tus sentimientos hacia mí. Entonces, decidí tantear el terreno, intentando ponerte celosa.

—Menuda mente más retorcida.

Él se echó a reír con picardía.

—Pero funcionó, ¿no es así? —Ella cerró los labios con fuerza y se negó a contestar—. Venga, mujer. Acabo de hacer el ridículo esta noche cuando volviste de tu cita con Cavanaugh. ¿No puedes ni siquiera reconocer que sentiste una pizca de celos?

—De acuerdo, una pizca. Pensé que era extremadamente descortés por tu parte entrar en mi tienda para comprar una prenda de lencería para tu amante.

—¿Amante? —repitió él, riéndose por encontrar el término desfasado—. Siéntete libre para venir a mi casa y ponerte el picardía y los ligueros cuando quieras. —Le murmuró esas palabras al oído—. Aún lo tengo envuelto en el papel de regalo rosa, aunque es verdad que lo he sacado para jugar con el un par de veces.

—Qué pervertido.

—Humm. Me imaginaba tus pechos rellenando ese sostén de encaje. Tus pezones apretados contra el tejido.

La besó con fervor. Deslizó la mano a uno y otro lado de su cintura y la acarició sobre el vientre. Entonces, dejó caer su mano aún más hasta cubrir su triángulo de pelo leonado. Elizabeth se ruborizó cuando terminó de besarla para que pudiera mirar cómo la exploraba con los dedos. Dejó que sus rizos los ocultaran.

—Eres tan hermosa —susurró él—. Tan suave y tan sexy.

Y eso era sólo el principio.

—¿Es esto lo que... hmmm... lo que tenías en mente... cuando pusiste esta hamaca aquí?

—¿Se te ocurre un uso mejor que darle?

Ella suspiró.

—No.

Media hora antes, le había dicho:

—Acompáñame a casa.

A ella le había parecido una idea un tanto extraña, pero como por otra parte no quería que aquella noche llegara a su fin, había aceptado. Se puso el camisón, cuando él se lo tiró tras recogerlo del suelo.

Él iba en calzoncillos nada más y llevaba el resto de la ropa entre los brazos. Habían salido sigilosamente de la casa, con cuidado de no despertar a los niños y habían salido por la puerta de atrás. Ninguno de los dos había notado cuánto chirriaba el gozne de la puerta hasta que la habían abierto.

Entre risas, se sintieron divinamente, casi como adolescentes haciendo diabluras. Habían ido de puntillas a través del campo frío y húmedo hasta su casa. Por el camino, se habían detenido varias veces para besarse y acariciarse. Él había sugerido que probasen la hamaca que él mismo había colgado entre dos árboles. Elizabeth había dado un chasquido con la boca para reírse de su buen hacer como colgador de hamacas y él se había reído, la había abrazado y le había dicho que era adorable y encantadora.

Así que ahora estaban tumbados en la hamaca. Deberían tener frío, pero no lo tenían. A Elizabeth no le preocupaba el frío lo más mínimo, aunque llevaba la falda larga de su camisón arremolinada alrededor de la cintura. No tenía frío porque Thad estaba encima de ella y... dentro de ella.

La planta de los pies de Elizabeth, según acababan de descubrir, encajaba perfectamente contra la pantorrilla de Thad. Allí había dejado reposar los pies, cuando no intentaba llegar con el pie al suelo para empujar la hamaca con la punta de los dedos. El balanceo era suave, pero multiplicaba por mil su cúmulo de sensaciones.

—No sabía que pudieras... o sea... que ha sido... ¿Cómo la puedes tener...?

—¿Tan dura? —preguntó él—. ¿Cómo la puedo tener dura durante tanto rato?

—Sí. —Elizabeth dio un gemido, cuando él la penetró aún más—. Es poco menos que un milagro.

—No tiene nada de poco. —Thad movió las cejas y sonrió con picardía.

Ella se echó a reír. Su deliciosa vibración hizo que Thad se regocijara de placer.

—¿Cuánto tiempo debemos de llevar aquí? ¿Diez minutos?

—Sí, pero eso no es nada —respondió él, mientras volvía a besarla—. La tengo dura desde hace dos semanas.

—¿Qué?

—Desde que puse mis manos alrededor de tu cintura y te bajé de aquel árbol. La cabeza no fue lo único que se me fue.

—Yo también me quedé un tanto turbada. Aunque me trataste con el debido respeto, teniendo en cuenta que era tu vecina viuda. No te portaste para nada como el hombre furioso que casi me viola esta noche.

—Lo reconozco, estaba furioso. No te he herido, ¿verdad?

—No —respondió ella, conmovida por su preocupación—. No tenía miedo de que me hicieras daño. Pero no sabía que podías llegar a ponerte tan agresivo.

—Sólo cuando me buscan las cosquillas y si estoy algo bebido.

—¿Y por qué estabas irascible y algo bebido?

—Porque no podía soportar la idea de que estuvieras haciendo esto con Cavanaugh. Ni con cualquier otra persona excepto conmigo.

Su honestidad le llegó al corazón.

—¿Siempre eres tan sincero?

—Absolutamente.

—Me alegro de que no te andes con juegos. Admiro la franqueza.

Thad volvía a tener el deseo reflejado en los ojos.

—¿Y tú?

—También.

—O sea que si quisiera algo —dijo él con voz ronca—, preferirías que te lo dijera directamente en lugar de andarme por las ramas. —La besó en los labios.

Elizabeth sintió como su corazón se aceleraba de la emoción.

—Sí.

—Bájate la parte de arriba del camisón —susurró él.

Elizabeth vaciló sólo por un instante y, entonces, se llevó una mano a la cinta elástica de encaje. Su pecho se hinchó, cremoso y suave, por encima de la cinta mientras se lo quitaba. Thad dio un gemido cuando la cinta le rozó el pezón, se le quedó enganchado y se le puso aún más en punta. Finalmente, todo su pecho quedó al descubierto y ella hizo ademán de retirar la mano.

—No, déjala ahí. Justo ahí. Oh, Dios mío.

Mientras miraba su mano fijamente y el mero movimiento de sus dedos, Thad se dispuso a frotar su cuerpo suavemente contra el de ella. Después, no tan suavemente. Las rotaciones se aceleraron y ella alzó sus caderas en su busca. Unos segundos más tarde, ambos explotaron en un frenesí de sensaciones al unísono.

Les llevó mucho rato reunir la energía necesaria para abandonar la hamaca y caminar hasta el porche en la parte trasera de la casa. Mientras sujetaba la puerta, Thad se reclinó hacia delante para darle un último beso dilatado durante el cual su lengua realizó una serie de movimientos en redondo dentro de su boca.

—Me gustaría acostarme contigo —dijo él, cuando finalmente se separaron.

—A mí también.

—Dame tu permiso.

—No quiero que los vecinos te vean salir a hurtadillas de mi casa al amanecer. O que mis hijos te encuentren en mi cama por la mañana.

—No, supongo que no.

—Por favor, entiéndeme, Thad.

—Te entiendo. —Él le cogió la mano, se la llevó a la boca y la besó—. En cambio, sí que me gustaría pasarme a desayunar. ¿A qué hora quieres que esté ahí?

Capítulo 9

Ofrecían una estampa bastante inocente cuando Matt y Megan irrumpieron en la cocina con ojos somnolientos y se los encontraron sentados juntos en la mesa mirándose a los ojos por encima de las tazas de café, olvidadas sobre la mesa.

—¿Es que Thad ha pasado aquí la noche?

A pesar de todas las precauciones que habían tomado, eso fue lo primero que dijo Matt. Para asombro de los niños, Thad y su madre se echaron a reír.

—No, no he pasado la noche aquí —dijo él—. Eso es sólo lo que parece. Vuestra madre me ha invitado a desayunar.

—Mira qué gracia. Pensaba que te habías invitado tú mismo —le dijo Elizabeth a regañadientes para prepararles a los niños sus habituales vasos de zumo. Thad le dio un cachete en el trasero, algo que los niños encontraron divertidísimo.

—¿Te ha hablado Thad del baño que le dimos a Baby? —preguntó Megan. Elizabeth sacudió la cabeza para decir que no—. Nos dejó darle un baño. A los gatos no les gusta el agua. ¿Sabías eso, mamá? Pero nosotros la bañamos de todos modos. Quedó muy limpia y esponjosa, pero armamos un desastre de cuidado.

—Sólo que Thad nos ayudó a limpiarlo o... Bueno, ¿cómo era, Thad? ¿Cómo en el ejército?

—Peinasteis la zona —aportó Thad.

—Eso, peinamos la zona. ¿No te lo había dicho, mamá?

—No, se le ha olvidado mencionarlo. —Elizabeth echó una mirada de reojo al hombre, encontrando que estaba muy atractivo sentado en la mesa del desayuno.

—Que yo recuerde teníamos mejores cosas de las que hablar. —Thad la miró de manera significativa y ella se ruborizó con su mirada.

—Y nos dejó pedir pizza al teléfono del hombre ese que te la trae a casa.

—Sí y le dijimos a Thad que tú siempre dices que ese tipo de pizza es basura.

—Pero dijo que, como tú no estabas, el que mandaba era él y que a él sí que le gustaba ese tipo de pizza.

—¿Podemos volver a llamar al señor de las pizzas, mamá? No era basura, te lo prometo.

Elizabeth se llevó las manos a la cintura y miró a Thad a la cara.

—Muchas gracias. En unas pocas horas has conseguido echar por la borda años de adoctrinamiento dietético.

Él parecía enormemente preocupado.

—¿Qué hay para desayunar?

—Cuajada y suero de leche —respondió ella displicente.

Los niños se echaron a reír a carcajada limpia. Para calmarlos un poco, Thad les supervisó mientras ponían la mesa, mientras Elizabeth preparaba el desayuno.

—Hey, aquí todo el mundo tiene que ayudar a retirar la mesa —dijo Thad a los niños cuando ya estaban camino de la televisión en el cuarto de estar después de terminar el desayuno. Ellos, sin embargo, no le contestaron de mala manera como solían hacer a menudo con Elizabeth. Su madre se los quedó mirando boquiabierta, mientras ellos, obedientes, volvían a la mesa y llevaban los platos sucios al fregadero.

—¿Cómo lo has conseguido? —preguntó ella.

—Les he sobornado. —Se sacó dos paquetes de chicle del bolsillo de la camisa—. Son sin azúcar —le dijo a Elizabeth antes de darles un paquete de chicle a cada uno. Educadamente, le dieron las gracias, granjeándose el cariño de su madre.

—¿Y para la cocinera?

—Para la cocinera, un beso.

Megan y Matt se detuvieron de golpe de camino a la puerta y se dieron la vuelta a la vez justo a tiempo de ver a Thad cogiendo a su madre de la cintura. Primero, ladeó la cabeza y después la besó en la boca.

—¡Thad está besando a mamá! —exclamó Megan.

—¡Oh, qué asco! —dijo Matt.

En cuanto Thad y Elizabeth se separaron, los niños les rodearon como si fueran indios en torno a una caravana de vaqueros. Se pusieron a chillar, a gritar y a sacudir los brazos salvajemente. Aliviados y encantados de que los niños se mostraran tan entusiastas sobre este nuevo giro de tuerca, Thad y Elizabeth se echaron a reír con sus payasadas, incitándoles aún más a sobrepasarse.

Como era habitual, la agitación de Matt se salió fuera de control. Cuanto más fuerte se reían Thad y su madre, más se animaba él hasta que, al perder el equilibrio al dar un paso en falso, se estrelló contra la vitrina de la vajilla china. Entonces, todos los platos repicaron contra el suelo. Una fuente de fruta de madera se volcó. Las manzanas y las naranjas echaron a rodar en todas las direcciones. Un tomate se espachurró contra las baldosas del suelo. Varias hojas de papel de un cuaderno echaron a volar por los aires como plumas, cayendo al suelo una a una lentamente.

Matt se quedó inmóvil y alzó la vista para mirar a su madre asustado.

—No lo he hecho a propósito.

—Eres tonto —dijo Megan, actuando con aires de superioridad como si fuera mucho mayor que él.

Matt se puso de rodillas. Intentando no pisar los trozos de tomate, se dispuso a reunir los papeles esparcidos por el suelo y se los llevó a Elizabeth.

—Ten, mamá. Tus papeles no se han ensuciado. Tampoco los habíamos ensuciado con la pizza. Thad los quitó de la mesa para ponerlos en la vitrina para que no se ensuciaran. Dijo que podrían ser importantes.

Elizabeth cogió los manuscritos que le daba su hijo y él se puso a recoger a gatas los trozos de fruta desperdigados por el suelo.

—Déjalo, Matt. —La voz de Elizabeth era tan tensa como una goma que había sido estirada hasta el límite—. Ya lo limpiaré yo luego. Tú y Megan subid por favor al piso de arriba a hacer vuestras camas.

Con cierta perspicacia infantil, los niños se percataron de que los ánimos en la cocina habían cambiado de rumbo drásticamente y no precisamente por el accidente de Matt. Había tenido lugar algo que superaba su propio entendimiento. Algo que había hecho que la cara de su madre pasase de roja y sonriente a pálida y arisca. Sus labios, antes sonrientes, se habían transformado en una delgada línea que casi no se movía mientras hablaba. Juntos salieron por la puerta intentando causar el menor ruido. Tenían miedo de que algo se hubiese quedado pendiente en la balanza y no querían desatar más su ira.

Elizabeth se dispuso a ordenar meticulosamente todas las hojas de papel por orden numérico para poder echar un vistazo a lo que había escrito en ellas. Por supuesto, sabía de qué se trataba. Era la historia que había escrito mientras se daba un baño de espuma. Cada frase le resultaba familiar.

Había un pirata, alto y peligroso. Había una mujer cautiva, temblorosa ante él, que sólo llevaba puesto un fino camisón. Le echó un vistazo a todos los papeles. Sí, allí estaba la página en la que él le rompía el camisón y la besaba en el pecho. Y allí, en ese párrafo, la mujer cautiva, abrumada por su masculinidad, empezaba a ceder y a responder a sus encantos.

Elizabeth tiró los papeles encima de la mesa de la cocina y se dio la vuelta rápidamente. Entonces se cruzó de brazos y se frotó los antebrazos, aunque hacía bastante calor en la cocina para una mañana de otoño.

—Lo has leído, ¿verdad que sí?

—Escucha, Elizabeth, yo…

Ella se dio la vuelta.

—¿Lo has leído o no?

El pecho de Thad se infló y se desinfló como consecuencia de un hondo suspiro.

—Sí.

A Elizabeth se le inundaron los ojos de lágrimas. Por momentos, los candentes pensamientos fagocitadores de su humillación desaparecían, pero por momentos nublaban su visión, agobiándola. Temblorosa, se llevó una mano helada a los labios y le dio la espalda de nuevo. No podía soportar mirarle a la cara. En parte sentía vergüenza y, en parte, engañada. No sabía bien cuál de las dos cosas le dolía más.

Con la misma voz suave que usan los doctores para dar las malas noticias a los familiares de su paciente, Thad dijo:

—No me había dado cuenta de lo que era en un principio. Pensaba que habías dejado una carta a medias por ahí tirada. Pero, entonces, me llamaron la atención una palabras en concreto.

Le miró a la cara con desdén.

—¿Te llamaron la atención? ¿No se te ocurre nada mejor que decir?

Al menos, Thad tuvo la deferencia de no ocultar su turbación.

—¿Nunca te ha pasado al estar en una librería ojeando una novela y, de repente, cuando una palabra te llama la atención, te detienes y te pones a leer unos párrafos? Y si el fragmento es atractivo, sigues leyendo. Y sin darte cuenta, has devorado cinco o seis páginas allí de pie en el pasillo. Si nunca te ha sucedido, entonces no eres normal.

—No estamos hablando de mí. Estamos hablando de un manipulador que me usó de la manera más baja, desagradable y asquerosa posible. ¿Cómo has podido?

—No he hecho nada que no quisieras que hiciera.

Elizabeth apretó la mandíbula y cerró los ojos con fuerza.

—Sabía que algo espantoso me iba a ocurrir. Nunca debería haber escuchado a Lilah, nunca debería haber dejado que me convenciera.

Él parecía confundido.

—¿Lilah te convenció de que soñases esa historia?

—Me convenció de que la escribiera. Se dedica a entregar mis fantasías a un editor.

—Entonces, ¿por qué estás tan avergonzada? La he leído y creo que es muy buena.

Elizabeth abrió los ojos y se lo quedó mirando. La ira había oscurecido el color de sus ojos ahora casi tan intensos como los de él.

—Sí, leíste mi fantasía y la usaste en tu propia ventaja. ¿Por qué no me di cuenta de lo que estaba ocurriendo cuando me rompiste el camisón? No te pegaba nada. Tú no eres así.

—¿Y tú qué sabes? —la desafió él—. Nunca habíamos hecho el amor antes. Y yo estaba lo bastante celoso y lo bastante loco y había bebido lo bastante como para ponerme un poco pesado. —Thad dio un paso al frente y habló en tono seductor, bajando la voz—: Y a ti te gustó.

Elizabeth se apartó de su lado con repugnancia.

—Anoche me dijiste que te parecía que me merecía algo más que sólo... —Ni siquiera era capaz de reproducir sus palabras.

»Al parecer, tras leer mi fantasía cambiaste de opinión. Me convertí en un objetivo a conseguir. Después de leer eso —dijo ella, señalando al manuscrito—, debes de haberte pensado que estaba hambrienta de un amante de carne y hueso. ¿O quizá te pensaste que tenía muchos amantes? ¿Acaso fue la fantasía la que te hizo pasar de buen vecino a semental agresivo porque te pensaste que eso es lo que yo quería?

—No. Eso no es lo que pasó en absoluto. Todo el mundo tiene un *alter ego*, Elizabeth. O, probablemente, varios. El tuyo sale a relucir en tus fantasías. El mío salió a la luz ayer por la noche. Ni siquiera estaba pensando en esa maldita fantasía cuando entré en tu habitación.

—Oh, por favor —protestó ella con incrédulo sarcasmo—. ¡Te metiste en el papel y lo cumpliste a rajatabla!

—Quizá en mi subconsciente. Era un hombre enfadado y celoso que respondía ante una mujer con la que quería acostarme a toda costa. Leer tu fantasía me excitó, sí. Pero también me volvió loco. Vi a Cavanaugh en el papel del pirata. Lo describías todo con tal lujo de detalles que te imaginé haciéndolo con él.

—Bueno, pues no lo hice. Aunque al menos él no es ningún husmeador, ni ningún mentiroso y... —Entonces, se le vino otro horrible pensamiento a la cabeza—. ¿Esa es la única que has leído? —Él se la quedó mirando tan profundamente sorprendido como para resultar creíble—. ¿Es o no es así? Has leído la del piloto y la granjera, ¿verdad? Por eso, cuando entré en tu casa y te encontré enfermo...

Elizabeth se llevó las manos a sus sonrojadas mejillas y sólo entonces creyó darse cuenta de las implicaciones de que sus sospechas fueran ciertas. Su interés por ella coincidía con el momento en que ella había comenzado a escribir sus fantasías. Siempre tiraba a la basura sus primeras pruebas de texto.

—¿Qué es lo que has estado haciendo? ¿Hurgar en el contenedor de la basura cada mañana como un gato callejero en busca de material fresco?

¿Cuántos manuscritos había tirado a la basura? ¿Cuánto habría disfrutado él riéndose de los párrafos más sensuales?

—Ahora me sorprende que se te haya ocurrido a ti solito la idea de la hamaca. Aún no he incluido esa idea en ninguna fantasía.

Thad se llevó las manos a la cintura y adoptó esa típica actitud arrogante de hombre. A Elizabeth le dio mucha rabia, porque le sugería que se estaba comportando como una estúpida irracional.

—No tengo ni la más remota idea de qué me estás hablando —dijo él—. ¿Qué demonios me estás contando de un piloto? ¿Y de qué estaba enfermo? ¿Crees que me voy a poner a fingir una fiebre de treinta y ocho grados?

—No me extrañaría nada que lo hubieras hecho. —Elizabeth reunió toda la animadversión que sentía por él en ese momento y la inyectó en sus siguientes palabras—. Vete de mi casa.

Él sacudió la cabeza para decir que no.

—No voy a irme mientras sigas enfadada. No hasta que zanjemos este asunto.

—Ya está zanjado. No quiero volver a verte nunca más. Ni siquiera estoy segura de poder tolerar que vivas en la casa de atrás.

—¿Así de sencillo? —Thad chasqueó los dedos.

—Así de sencillo.

—¿Después de anoche?

—Nada de lo que ocurrió era real.

—Vaya si lo era —dijo él con una breve carcajada—. Basta que le eches un vistazo a las marcas que tienes por todo el cuerpo para ver si fue o no real.

Ella se sonrojó al acordarse de los ligeros moratones que había descubierto en sus pechos y en sus muslos mientras se duchaba. Hacía una hora, se había regocijado en esas mismas marcas, equiparándolas con las señas de identidad de un artista sobre su obra maestra. Ahora estaba avergonzada sólo de pensar que su boca las había hecho.

—Mira, Elizabeth —dijo él, con una paciencia agotadora—, no te culpo por equivocarte en sacar tus propias conclusiones. He leído algo que no debería haber leído. Era algo personal y privado. He violado tu privacidad al leerlo. Sin embargo —hizo una pausa para enfatizar el discurso—, el único modo en que cambió mi opinión sobre ti fue haciéndote más fascinante.

Elizabeth señaló con el dedo a las hojas de papel que había sobre la mesa.

—No soy esa mujer cautiva, ni mucho menos tú eres el pirata. Esa mujer es producto de mi imaginación. No es nadie. Es una fantasía.

Él puso en duda esas palabras, sacudiendo la cabeza lentamente para decir que no.

—Eres tú. Ella reúne tus pensamientos más recónditos, cómo te sientes sobre tu sexualidad, cómo te sientes sobre el amor, todo lo qué quieres en la cama pero nunca pides. Igual que la luna, todos tenemos un lado oscuro, una parte de nosotros mismos que el mundo no es capaz de ver. Está debajo del maquillaje y no es nada de lo que debamos avergonzarnos.

Thad la había seguido hasta el mostrador. Ella sacudió la cabeza categóricamente, amedrentada.

—Yo no soy así.

—No eres así por fuera. De puertas para fuera, eres toda una señora. Pero ¿no te das cuenta de que eso es lo que te hace tan atractiva y tan fascinante? —Su tono de voz se volvió más suave, más aterciopelado—. Elizabeth, ¿por qué crees que quería dormir contigo anoche?

Elizabeth rememoró sus palabras sobre enamorarse de una mujer con la que le gustara despertarse. Y sintió como si esas mismas palabras se volvieran contra ella, esta vez para humillarla. No iba a creerle nunca más. No iba a permitir que le tomara el pelo de nuevo.

—De manera que podrías seguir usándome hasta que finalmente me diera cuenta.

Thad frunció el ceño impaciente. Le colocó las manos a ambos lados de la cintura y se reclinó sobre ella, obligándola a echar la cabeza hacia atrás.

—Tú no estás enfadada porque haya leído el manuscrito. A fin de cuentas, lo habías escrito para ser leído. Estás enfadada porque no soy ningún desconocido. Y, en consecuencia, tú no eres anónima. Ahora sé tu secreto. Ahora sé que debajo de tu exterior frío y distante tienes fuego en tu interior.

Aquellas palabras surtieron el efecto de las gotas de agua al caer en una sartén caliente. Elizabeth le dio una bofetada en la mejilla.

No podía se creer que le hubiera abofeteado. Los ojos de Thad se achicaron peligrosamente, mientras se separaba de ella y se erguía. Elizabeth rara vez había pegado a sus hijos y, cuando lo había hecho, había llorado más que ellos después. La agresiva de su familia había sido siempre Lilah, nunca su hermana mayor, que siempre cedía para evitar cualquier oportunidad de altercado físico. En cambio, ahora había pegado a un hombre que tranquilamente era mucho más fuerte que ella y más alto.

Además, el hecho de haberle pegado no había aliviado su ira. Nunca iba a perdonarle por el despreciable modo en que la había manipulado para que hiciera el amor con él. Se ponía enferma sólo de pensar que todo lo que había dicho y hecho provenía, no de su corazón, sino de su licenciosa curiosidad.

No dijo nada para detenerle cuando él se dio la vuelta y se dirigió airado hacia la puerta, casi arrancándola de sus goznes al abrirla de golpe. ¿Y tú qué razón tienes para estar tan enfadado?, quería gritarle ella. En su opinión, él había salido mejor parado de lo que se merecía.

Pero Elizabeth no dijo nada. Tampoco le habrían funcionado las cuerdas vocales. Estaba demasiado congestionada de la emoción. Se sentó en la silla más cercana que encontró, apoyó la cabeza contra la mesa de la cocina y se concedió el lujo de recrearse en unos desgarradores sollozos.

Las cosas no mejoraron con el tiempo.

Durante los días siguientes, su estado de ánimo era infernal. Estaba tan irascible con los niños que ellos reaccionaban a la defensiva comportándose fatal. Una tarde los pilló jugando en la hamaca de Thad con los cachorros y les gritó para que volvieran a casa inmediatamente. Ellos le montaron un número pidiéndole explicaciones. Querían saber por qué debían entrar a la casa. Ella no era capaz de darles una razón plausible. Entonces, estuvieron enfurruñados para el resto de la tarde. Cuando Megan le dijo que ojalá vivieran con alguien divertido como Thad, Elizabeth la envió castigada a su habitación.

Lilah la llamó para preguntarla por su cita con Adam Cavanaugh. Elizabeth mostró una actitud poco ortodoxa, culpando injustamente a su hermana de sus recientes desgracias.

—Pero por el amor de Dios —Lilah había hecho varios intentos de sonsacar a Elizabeth—, no eres precisamente la alegría de la huerta que digamos. Ya te volveré a llamar cuando vuelvas a ser persona.

Su actitud antipática había conseguido alienarla del resto de personas de su entorno. Por un tiempo, ya le iba bien. No le apetecía hablar con nadie. Se revolvía en su propia tristeza como una bruja que revuelve su potaje, añadiéndole partículas de resentimiento cada día, removiéndolo y viéndolo hervir a fuego lento.

Pero, gradualmente, empezó a gustarle menos su soledad, incluso menos de lo que le gustaba la compañía ajena. Entonces, hasta le hizo ilusión ver a Adam Cavanaugh entrar por la puerta de su tienda una mañana a última hora.

Tras llamarla dos veces por el nombre, se echó a reír al ver la expresión sorprendida en su cara.

—Siempre parece que te pillo absorta en tus pensamientos. ¿Adónde vas cuando nos dejas al resto en tierra?

Elizabeth intentó volver en sí inmediatamente. No había vuelto a verle desde que la había acompañado a la puerta de su casa y le había dado un discreto beso en la frente. Él no era de los que se aprovechaban de las mujeres como otros. ¡Para que luego Thad lo tachara de *playboy*!

—Soñar despierta es una mala costumbre que tengo desde niña —le dijo—. Siempre estoy pensando en las musarañas. Mi hermana no deja de atormentarme con ese tema.

Al oírla mencionar a su hermana, Adam frunció el ceño.

—¿Cómo es esa irrespetuosa hermana tuya?

—Irrespetuosa —respondió Elizabeth, pensando que ya era hora de que hiciera las paces con Lilah. No era culpa suya que Thad Randolph hubiera resultado ser un miserable.

—¿Comemos? —propuso Adam, sacándola de sus pensamientos.

—¿Qué si comemos? Uf, no gracias, Adam. No tengo a nadie que me cuide la tienda si salgo. Suelo traerme la comida en una bolsa.

—Pues cierra durante una hora, por favor. He estado pensando mucho en nuestra cena del otro día. —Su voz adquirió un tono de secretismo y sus ojos castaños se llenaron de misterio—. Hay algo muy importante que querría discutir contigo.

Media hora después, Elizabeth estaba picando una ensalada que ella misma se había combinado en el bufé libre del restaurante Garden Room. Adam y ella estaban sentados a un extremo de la mesa delante de dos enormes ventanales que ofrecían una fabulosa vista de la silueta de la ciudad.

—¿Y bien?

—No lo sé, Adam. Me has pillado totalmente desprevenida.

—Tampoco puede haberte pillado tan desprevenida mi propuesta.

—Pues, la verdad es que sí. —Elizabeth alzó sus apesadumbrados ojos azules hasta encontrarse con los suyos, inquisidores—. Nunca había considerado la posibilidad de abrir otra Fantasía. Ya sólo con esta tienda pierdo tanto tiempo y tanta energía...

—Eso ya lo veo —dijo él, tras darle otro trago a su agua con hielo—. He considerado tu situación. Me doy cuenta de que ser viuda con dos hijos no es exactamente compatible con tener varias tiendas de propiedad en ciudades diferentes al mismo tiempo. Pero estoy seguro de que podrás con todo.

Aunque la idea de abrir unas cuantas Fantasía más le había pillado por sorpresa, se sentía halagada. A pesar de sus múltiples reservas, la idea le había despertado un espíritu ambicioso que ni siquiera sabía que tuviera.

Echándose hacia delante sobre su silla, Adam hizo hincapié sobre su idea.

—Fantasía es el negocio más rentable, en términos porcentuales, de entre nuestros arrendatarios. Eso me impresiona. Tú me impresionas. No puedo encontrarte ni una sola pega. Aparte de lo de soñar despierta —dijo en broma—. Has apostado por un mercado peculiar. Compras siguiendo tu intuición. La gente siempre pagará un precio alto por un producto de calidad. Y los estudios demuestran que los clientes de mis hoteles están acostumbrados a primera clase.

—Pero yo...

Adam la cogió de las manos para detenerla.

—Te quiero reservar un espacio en el vestíbulo del nuevo Hotel Cavanaugh Chicago. Enseguida, me gustaría instalar tus tiendas en otras ciudades.

Cavanaugh continuó subrayando la viabilidad del proyecto hasta que a Elizabeth le entró dolor de cabeza y le suplicó que se callara y que le diera tiempo para pensárselo.

—Me tiro horas intentando decidir si quiero pedir tacos o cerdo picado para cenar —le dijo ella, riéndose—. Espero que no quieras que te dé una respuesta hoy mismo.

—Por supuesto que no. Basta con que me lo digas mañana.

Ella se quedó pálida del susto, aunque se relajó cuando vio que lo decía en broma.

—No, no espero una respuesta inmediata. El tiempo juega a mi favor. Cuanto más tiempo te lo pienses, más te va a gustar la idea —dijo él, seguro de sí mismo.

A la entrada de Fantasía, Adam le dijo:

—Te enviaré una propuesta por escrito. Míratela. Estúdiate los números. Te llamaré para que me des una respuesta dentro de una semana o así. Mientras tanto, que no te dé miedo llamarme si tienes alguna pregunta. —Le extendió una tarjeta de visita que sacó del bolsillo de la chaqueta—. El número que pone aquí es una línea directa, privada. Úsalo.

Como siempre, Adam la dejó sin aliento y sin energía. Le envidiaba por tener tanta seguridad en sí mismo y por su manera de afrontar la vida. Parecía saber exactamente lo que quería y no permitía que nada se interpusiera en su camino. Pensó que ojalá tuviera ella esa capacidad de decisión. ¿Quería quedarse con un negocio a pequeña escala o expandirse? Por el amor de Dios, ¿qué sabía ella, una viuda con dos hijos y un corazón roto, de grandes negocios?

¿Un corazón roto?

Sus pensamientos se detuvieron. Como suele ocurrir, cuando alguien tropieza con algo, vuelve para ver lo que le ha hecho tropezar. Un corazón roto. Sí, eso le tocaba afrontar ahora. Esas tres palabras se habían cruzado en su camino y le impedían pensar con claridad.

Tenía el corazón roto. Estaba enamorada de Thad Randolph. Él la deseaba, igual que había deseado a todas esas otras mujeres con las que se había acostado.

¿Cómo podía pensar en expandir su negocio o en qué hacer de cena o en cualquier otra cosa si no era capaz de ordenar sus sentimientos hacia él? No debería ser tan complicado. Sus sentimientos deberían estar divididos en dos categorías: blancos y negros, en lugar de presentar toda aquella infernal gama de grises. Ni siquiera era capaz de señalar con exactitud el momento en que su rabia se había transformado en angustia y su furia en desesperación.

Decidió tomarse una aspirina para el dolor de cabeza.

Se le subió ligeramente la moral al volver a casa y ver aparcado a la entrada el coche de Lilah. Entró en casa y se encontró a su hermana metiendo helado en unos boles para Matt y para Megan.

—La señora Alder se ha ido y la tía Lilah ha dicho que podíamos comer helado —dijo Matt para justificarse. Estaba sentado de rodillas sobre la silla. Otra cosa que no se debe hacer.

—¿Antes de cenar? —preguntó Elizabeth molesta.

—¿Sabes? Siempre me he preguntado de dónde sacó mamá esa regla de oro —dijo Lilah, apuntando a su hermana con la bola de helado—. ¿Qué diferencia hay si te comes el helado antes o después de la cena?

—No tienes remedio. —Elizabeth se acercó a su hermana, que estaba chupando el helado que se había quedado en la cuchara, una mala costumbre que intentaba quitarle a sus hijos.

—¿Quieres decir con esa sonrisa que estoy perdonada por el pecado cometido?

Elizabeth le dio un abrazo. Nunca había conseguido estar enfadada con Lilah demasiado tiempo.

—Estás perdonada.

—¡Gracias a Dios! Había invitado a los niños a cenar fuera. Se nos habría hecho la cena interminable si no me hubieras hablado en todo el rato. Por cierto, ¿qué te había hecho yo si se puede saber?

—No me hiciste nada. ¿Por qué nos has invitado a cenar?

—Por eso.

Lilah señaló con la cabeza un sobre que Elizabeth aún no había visto. Reconoció el logo en el sobre de la carta.

—Eso es, es... No habrán...

—Pues sí. Dentro de ese sobre, que me he tomado la libertad de abrir, hay una carta de aceptación de dos de tus historias para publicar en su libro *y* un cheque de quinientos dólares. ¿No es maravilloso?

—¡Es maravilloso! —gritó Elizabeth—. Les podré comprar abrigos nuevos a los niños y no tendremos que comer atún todo el invierno. ¿Queda algo de helado para mí?

—Ahora, sé que me has perdonado —dijo Lilah, echándose a reír.

Cuando los niños acabaron el helado, se fueron al piso de arriba para cambiarse de ropa.

—Bueno, vamos a hacer una fiesta sólo de adultos cuando los niños se vayan a dormir —dijo Lilah—. Hay una botella de *champagne* enfriándose en la nevera.

—Me parece fantástico.

Lilah miró a su hermana de cerca. A juzgar por la expresión de su cara, no había nada de «fantástico».

—¿Me vas a contar lo que te pasa o voy a tener que esperar a que nos vayamos de vacaciones al campamento de verano? Fue allí cuando me desvelaste el gran secreto de que te había venido la regla.

—¿Qué quieres que te cuente?

—Lo que sea que le acaba de quitar la gracia a que te vayan a publicar tus historias. Lo que sea que te haga tener esa expresión tan triste. Lo que sea que te haga llevar esas ojeras.

—No sabía que tenía tan mal aspecto.

—Pareces la madre del conde Drácula al quedarse sin sangre. ¿Qué pasa contigo? Se supone que esto tiene que ser una celebración.

Elizabeth le contó su cena con Adam Cavanaugh y su idea de abrir un Fantasía en el vestíbulo de cada uno de sus hoteles.

—¡Me parece genial, Lizzie! ¿Cuál es el problema? Aparte del hecho de tener que lidiar con él.

—Los problemas son demasiados como para enumerarlos todos, Lilah. No puedo hacer la maleta e irme de ciudad en ciudad como quien no quiere la cosa. Tengo demasiadas responsabilidades aquí.

—Tus hijos probablemente saldrían mejor parados si les dejaras solos de vez en cuando.

—¿Y qué pasa con el dinero? Yo no tengo ni idea de altas finanzas. ¿Te das cuenta de la inversión que tendría que hacer?

—Has dicho que Cavanaugh se había ofrecido a hacerte un préstamo de inversión. No pienses en la inversión, piensa en los beneficios —dijo Lilah, abriendo y cerrando los ojos—. Me sorprende que no te agarres a esta oportunidad con las dos manos.

Elizabeth se frotó la frente. La aspirina no le había ayudado demasiado.

—No lo sé, Lilah.

Lilah la cogió de la mano y se la puso encima de la mesa.

—¿Puede ser que tu indecisión tenga que ver con según que vecino tuyo?

Elizabeth miró a su hermana a los ojos de repente.

—No sé de qué me estás hablando.

—Lizzie —dijo Lilah con un tono ligeramente desdeñoso—, los niños me han contado lo del incidente de Matt. Lo del bol de fruta. Los papeles de mamá que salieron por los aires.

—Oh.

—También dijeron que te pusiste «histérica» porque Thad los había leído. —Lilah suavizó el tono de voz una vez más—. Ahora, hasta yo tengo suficiente imaginación para averiguar lo que había escrito en aquellos papeles que él leyó. Una de tus fantasías, ¿verdad?

—Verdad —dijo Elizabeth desalentada.

—Y te dio vergüenza.

—Casi me muero.

—Así que estás evitándolo.

—Como si tuviese la lepra. No soy capaz de mirarle a la cara, Lilah.

—¿Sólo porque leyó una de tus fantasías? Es ridículo. —Lilah pudo ver el sentimiento de culpa grabado en el rostro de su hermana con tinta indeleble. Elizabeth nunca había sabido ocultar sus sentimientos. —Uh-oh, no sólo porque haya leído una. Ha leído una y la ha aplicado a la vida real. ¿No es así?

—Bueno, más o menos —confesó Elizabeth.

—Pues mejor para ti, tonta.

Elizabeth estaba atónita.

—¿Cómo que mejor para mí? Lilah, me sentí humillada.

Lilah abrió más los ojos y susurró:

—¿Qué pasa? ¿Le va el sado?

—Oh, por el amor de Dios. ¡No! No le va el... ¿Es que

no lo entiendes? Llevó a cabo mi fantasía sexual porque pensó que eso es lo que yo quería.

—Me muero por conocer los detalles más escabrosos, por supuesto, pero ya sé que no me lo dirías ni en un millón de años, incluso si retrocediéramos a los años de los campamentos de verano. Lo único que puedo decirte es que si algún día me enamoro —y sí, creo que estás enamorada de él— me compraré todos los manuales de sexo que haya en el mercado.

»Subrayaré las partes más interesantes y marcaré las ilustraciones que más me llamen la atención y se las pasaré a mi supuesto novio y le diré: «Hey, Charlie, soy demasiado tímida para discutir contigo mis más secretos deseos, pero te agradezco que me hagas todo lo que sale en estas páginas marcadas». Si Thad ha hecho un buen uso del conocimiento de tu corazón, de tu mente y de tu libido, yo diría que vale su peso en oro. Y, por si esto te sirve de consuelo, en mi vida he visto a alguien tan locamente enamorado.

Elizabeth alzó la vista, como si estuviera suplicando que la convenciera.

—¿Cómo lo sabes?

—Muy fácil. Estaba cantado que tenía celos de Cavanaugh. Para mí fue obvio, y mira que no lo conozco. Mira —dijo mientras se levantaba—, voy a ir al piso de arriba para echarles un vistazo a los niños. Tú siéntate aquí y piensa qué quieres hacer con el resto de tu vida. La propuesta de Cavanaugh suena como un sueño hecho realidad, una fantasía real. Por otro lado, el señor. Randolph es bastante fantástico. Y te queda más cerca de casa.

Elizabeth se quedó sentada en la mesa de la cocina y se preguntó qué quería. Si pudiera elegir en ese mismo instante, ¿cuál sería su elección?

No cabía ninguna duda sobre su respuesta. Quería a Thad. Había sentido más vergüenza que ira al descubrir que había leído su fantasía. Ahora era capaz de reconocerlo. Y, en realidad, no había sospechado que hubiese hurgado entre la basura en busca de manuscritos. Era demasiado honesto como para hacer algo así. Por supuesto, había leído aquella fantasía en concreto a escondidas, pero, como había señalado, le había resultado fácil hacerlo. Le había bastado localizar unas cuantas palabras clave. Nadie habría resistido a la tentación.

Sí, se había aprovechado de lo que sabía, pero ¿qué tenía eso de malo? A Lilah no se lo parecía. Pensaba que era un tesoro por haber puesto su conocimiento en uso.

Pensándolo bien, ¿cuántos hombres se preocuparían de una mujer hasta tal punto de molestarse por colmar sus fantasías sexuales? Los hombres con ese tipo de sensibilidad eran difíciles de encontrar, mientras que los de buenos modales con las mujeres eran una legión. Se había aguantado pacientemente a la espera de que ella llegase al orgasmo antes de correrse. ¿Y acaso no había disfrutado de la espera? Ella debería haberle estado agradecida por ser tan considerado como amante. Y, en lugar de eso, le había dado una bofetada.

De camino al piso de arriba, se encontró a Lilah y a los niños corriendo escaleras abajo.

—Nosotros estamos ya listos, pero tú parece que vayas en dirección contraria.

Sin aliento, Elizabeth dijo:

—Lilah, ¿te importaría demasiado si me salto la cena con vosotros esta noche?

—Oh, mamá.

—Queremos salir con la tía Lilah. Nos ha invitado a...

—Podéis ir —dijo Elizabeth rápidamente para tranquilizar a sus hijos—. Si a la tía Lilah no le importa llevaros.

—No me importa si es para una buena causa. —Lilah miró a su hermana a los ojos, analizándola. Los tenía bastante más brillantes que hacía unos quince minutos.

—Lo es.

Lilah sonrió.

—No, no me importa llevármelos. Vamos, niños.

La pasaron de largo a toda prisa y se apresuraron a salir por la puerta delantera por miedo a que volviera a cambiar de idea.

—Lilah, no creo que escriba más fantasías, así que no vuelvas a pedírmelo.

—¿Y por qué no?

—Son demasiado caprichosas y egocéntricas. Ya va siendo hora de que deje de soñar sobre otra persona haciéndome el amor y... y que empiece a hacer el amor con esa otra persona. Entre lo uno y lo otro hay una gran diferencia, ¿sabes?

—No, no lo sé. Pero sé que tú así lo crees.

—Un buen día también tú lo sabrás.

Lilah parecía dubitativa. Después, sonrió dulcemente.

—Sé feliz con él, Lizzie. Te lo mereces. —Cogió en sus manos las bolsas con los pijamas de los niños—. Yo soy optimista. He invitado a los niños a que pasen la noche conmigo y ya han hecho las maletas. —Entonces, entre risas, siguió a los niños que salieron de la casa.

Elizabeth esperó hasta que la puerta delantera se cerrase. Entonces, echó a correr hacia el baño y abrió el grifo de la ducha. Mientras se llenaba de agua y se hacían montañas de espuma con el gel aromático que había añadido, abrió el armario y echó un vistazo a su interior.

Veinte minutos más tarde, estaba lista. Mientras atravesaba la cocina, sacó la botella de *champagne* que había traído Lilah de la nevera y salió por la puerta de atrás.

Se lo encontró viendo la televisión en el porche. Llamó a la puerta y pudo comprobar la expresión de grata sorpresa. Él intentó disimular esa espontánea reacción y, con irritante parsimonia, se acercó tranquilamente hasta la puerta. A diferencia de la vez anterior, dejó el volumen del televisor puesto. Abrió la puerta de un empujón, aunque no dijo nada.

—¿Puedo pasar? —preguntó ella. Se echó a un lado para abrirle el paso. Hacía calor en el porche. Olía a él, al jersey de lana que llevaba puesto encima de los vaqueros, a su colonia. Elizabeth le miró a la cara y se humedeció los labios.

»Siento haberte dado una bofetada. Sentí que me habías provocado, de no ser así no lo hubiera hecho. —Hizo una pausa para respirar nerviosa. A diferencia de su hermana, no era una mujer impulsiva. No sabía cómo comportarse. ¿Y si esto no funcionase?

»Lo he pensado.... Lo he pensado varios días y me he dado cuenta de que mis acusaciones eran ridículas. Ya sé que no te pusiste a hurgar en mi basura ni nada que se le parezca...

—Elizabeth, ¿qué estás haciendo aquí? —interrumpió él fríamente—. ¿Has cambiado de parecer? ¿Acaso pretendes que me ponga a satisfacer otra de tus fantasías sexuales?

En el fondo, se lo merecía. Eso pensó Elizabeth. Así que no le quedaba otra que dejarle que se desahogara. Sólo por esta vez. En lugar de tomárselo mal, Elizabeth alzó la vista para mirarle a los ojos. Su sonrisa era tan seductora como su susurro.

—No, esta vez soy yo la que quiere satisfacer tus fantasías.

Capítulo 10

—Y yo que me pensaba que eras una niña buena.

Elizabeth dejó de mordisquearle el bíceps el tiempo justo como para ofrecerle una sonrisa felina.

—Te acabo de demostrar todo lo contrario, ¿verdad?

Ahíto, Thad lanzó un suspiro.

—Y algo más que eso.

Elizabeth colocó la cabeza sobre su hombro.

—En realidad, me tuve que armar de valor para atreverme a cruzar el jardín que separa nuestras casas sin llevar puesto más que unos tacones de aguja y una gabardina, además de mi orgullo cerrado en un puño. Creo que he estado guardándome todo el coraje desde el día en que nací para utilizarlo hoy.

Su risa hizo retumbar el pecho desnudo de Thad, que ella acariciaba con las yemas de los dedos.

—Me sentí como si me hubiera atropellado un cuatro por cuatro cuando te desabrochaste el cinturón de la gabardina.

—Decir que te quedaste de piedra es decir poco.

Thad volvió la cabeza y la miró a la cara.

—No estaba seguro de que fueras real.

—Lo soy.

Dio una vuelta sobre sí mismo y la atrapó debajo de él.

—Vaya si lo sé eso ahora. —La besó con fruición y les resultó grato comprobar que no estaban tan agotados como se pensaban. Su erección estaba ya firme gracias a un deseo renovado y el ronroneo que procedía de la garganta de Elizabeth era aún más alentador.

»Mi corazón casi se detuvo cuando pusiste tu mano sobre mi bragueta y me la desabrochaste —susurró él con voz ronca—. ¿Y dónde has aprendido ese truco con el *champagne*?

—Me lo inventé.

—Sí ya —gruñó él.

Elizabeth se rió con su respuesta.

—Ya te había dicho que quería colmar tus fantasías.

—Estoy más que servido.

Le acarició los pechos con sus manos y se los besó.

—Estabas guapísima con el picardía.

—¿Pues por qué no me lo dejaste puesto más tiempo?

—Porque lo mejor era mirarte mientras te lo quitabas.

—Pero si lo quitamos entre los dos.

—Me pareció que necesitabas que te echara una mano con esos corchetes. —Thad le acarició el cuello con la boca.

Mientras gemía, Elizabeth le dio un beso ardiente, a sabiendas de que antes de volver a hacer el amor, tenían cosas de que hablar.

—¿Thad?

—¿Hmm?

—Te vas a casar conmigo, ¿no?

Él alzó la cabeza y bajó la vista para mirarla a la cara. Parecía preocupada.

—No estoy seguro. ¿Sabes cocinar bien? —Elizabeth le pellizcó en el trasero y él pegó un grito—. ¡Auch! Vale, vale, me casaré contigo. —Entonces se echó a reír y la abrazó—. Pues claro que voy a casarme contigo. Conociendo lo prolífica que es tu imaginación, ¿piensas que te iba a dejar por ahí suelta entre la población masculina? Y menos aún cuando llevas escrito «FANTASÍA» en la matrícula.

—Si no, nunca podría haber hecho lo que hice esta noche. No estaría aquí en absoluto, si no estuviera desesperadamente enamorada de ti. —Elizabeth habló con tal seriedad que él se quedó quieto.

—¿Sabes una cosa? —Thad la acarició en la mejilla—. Si tú no hubieras tomado la iniciativa, lo habría hecho yo. Habría enterrado mis miedos, me habría tragado el orgullo y habría venido a buscarte. Yo te deseo con todas mis fuerzas. Y no sólo en la cama. Aunque también es verdad que estás guapísima en la cama. —Sus ojos se deslizaron sobre la suave desnudez del cuerpo de Elizabeth, que se amoldaba perfectamente al suyo—. Te necesito en mi vida, Elizabeth.

—¿Y Matt y Megan?

—Todo el *pack*.

—No estás acostumbrado a sus diabluras. No sabes lo frustrante que...

La siseó para que se callase.

—Aprenderé a ser un padre. Espero ser un buen padre. Ahora, cállate la boca y déjame que te diga cuánto te quiero.

Ella asintió y permaneció en silencio. Él le acarició el pelo con los dedos.

—Te quiero, Elizabeth. Reconozco que te deseo desde el primer momento en que te vi. Me entraron ganas de hacerte el amor al menos mil veces sin parar.

Su sonrisa masculina hizo que a ella se le encorvaran los dedos de los pies.

—Entonces, te conocí y me di cuenta de qué tipo de mujer estabas hecha. Y quiero estar dentro de ti cada vez que se me presente la oportunidad. Pero también quiero estar dentro de tu cabeza y dentro de tu corazón. Era un cínico que no creía que existiera tal cosa como el amor. Pero sí que existe. Mi cabeza ha estado en las nubes desde el mismo día en que te quedaste encaramada en aquel árbol cuando tuve el honor de desengancharte las enaguas.

—Yo lo sabía todo sobre el amor en mis fantasías. —Con cariño, Elizabeth le acarició los labios—. Pero no me esperaba encontrarlo en el jardín de atrás de mi casa. No necesito expandir mi negocio para encontrar nuevos retos. Cada día de nuestro amor será como…

—Hey, hey, alto ahí. ¿Qué es eso de expandir tu negocio?

—Nada. Eso ya no importa. Adam me invitó a comer hoy y me hizo una oferta.

—¿Qué tipo de oferta?

—Thad, ya te lo he dicho, eso ya no importa. Voy a casarme contigo.

—¿Qué tipo de oferta? —repitió testarudamente.

Elizabeth le describió someramente la propuesta que le había hecho Adam.

—Pero, por supuesto, ahora tendré que rechazarla.

—¿Por qué?

Se lo quedó mirando asombrada y se le escapó una leve carcajada.

—¿Cómo que por qué? ¿Cómo voy a poder ser esposa, madre y directora de una cadena de tiendas Fantasía todo al mismo tiempo?

Él apoyó la cabeza sobre su mano.

—¿Y por qué no? Yo voy a ser marido, padre y también

llevaré mi negocio al mismo tiempo. Si yo tengo una carrera, ¿por qué no vas a poder tenerla tú? Eso si quieres, claro.

Elizabeth arrancó a hablar varias veces, pero las palabras se le pasaban por la mente a tal velocidad que no era capaz a organizarlas en una frase coherente. Finalmente, sonriendo con timidez, dijo:

—Es una oportunidad de oro, de esas que no se presentan cada día.

—Pues a por ella. —Thad la besó profusamente—. Cuenta con todo mi apoyo.

—Voy a volver a pensármelo, pero he de decirte que la idea me está empezando a parecer cada vez más tentadora. —Elizabeth cogió un mechón de pelo y se puso a darle vueltas alrededor de su dedo. Entonces, alzó los ojos y le miró en la frente—. ¿Y qué pasa con Adam? Tendré que pasarme un montón de tiempo con él. ¿Ya no te pone celoso?

—No.

»No era encima de él que estabas montada hace sólo un rato. Ni era su lengua la que estaba chupando *champagne* de tus pezones. Ni tu boca suave y cálida le acariciaba a él…

Elizabeth le puso la palma de la mano sobre la boca.

—Basta.

Él sonrió.

—Además, tampoco tengo derecho a estar muy enfadado con él. Ese hombre me ha hecho ganar una fortuna. —Llena de curiosidad, Elizabeth ladeó la cabeza—. Cada centímetro de cemento del Hotel Cavanaugh ha sido provisto por Cementos Randolph. ¿No lo sabías? —Ella sacudió la cabeza—. Dudo que Cavanaugh se dé cuenta, de todos modos, porque yo trato directamente con el constructor. Pero en respuesta a tu pregunta, no, ya no le tengo celos. No puedo culpar a Cavanaugh de sentirse atraído hacia ti.

Elizabeth se sonrojó de placer por todas partes.

—Nunca hubo atracción sexual entre nosotros dos. A él le caigo bien. A mí me cae bien. En cambio, nunca podría enamorarme de un hombre como él. Está demasiado obcecado por su trabajo. Le mueve la ambición. Es demasiado intenso.

Thad se volvió sobre su espalda y se puso las manos en la nuca.

—¿De qué tipo de hombre puedes enamorarte?

Se mostraba tan engreído y autocomplaciente que resultaba atractivo. Ella se le echó encima, extendiendo su cuerpo a lo largo del suyo. Y tuvo el placer de comprobar cómo los ojos de su hombre se teñían de pasión.

—De uno como tú. —Elizabeth le besó en los labios suavemente y murmuró—: Del único hombre que ha salido directamente de mis propias fantasías.